John Wyndham

KUKUŁCZE JAJA Z MIDWICH

W serii „Wehikuł czasu" w 2023 roku
ukazały się między innymi:

Harry Harrison
BILL, BOHATER GALAKTYKI

Pat Frank
BIADA BABILONOWI

Arthur C. Clarke
ODYSEJA KOSMICZNA 3001. FINAŁ

Arthur C. Clarke, Gentry Lee
RAMA II

Rok 2024

Fred Hoyle
CZARNA CHMURA

Arthur C. Clarke, Gentry Lee
OGRÓD RAMY

R.C. Sherriff
RĘKOPIS HOPKINSA

Ken Grimwood
POWTÓRKA

John Wyndham
DZIEŃ TRYFIDÓW

Arthur C. Clarke, Gentry Lee
TAJEMNICA RAMY

John Wyndham
POCZWARKI

Norman Spinrad
ŻELAZNY SEN

John Wyndham
KUKUŁCZE JAJA Z MIDWICH

W przygotowaniu

Harry Harrison
FILMOWY WEHIKUŁ CZASU

John Wyndham

KUKUŁCZE JAJA Z MIDWICH

Przełożył
Zbigniew A. Królicki

Dom Wydawniczy REBIS

Tytuł oryginału
The Midwich Cuckoos

Redaktor serii
Sławomir Folkman

Redaktor
Krzysztof Tropiło

Projekt i opracowanie graficzne serii i okładki
Sławomir Folkman / www.kaladan.pl

Ilustracja na okładce
Igor Morski

Wydanie I w tym tłumaczeniu
Poznań 2024

ISBN 978-83-8338-247-0

9 788383 382470

Dom Wydawniczy REBIS Sp. z o.o.
ul. Żmigrodzka 41/49, 60-171 Poznań
tel. 61-867-47-08, 61-867-81-40
e-mail: rebis@rebis.com.pl
www.rebis.com.pl

CZĘŚĆ PIERWSZA

ROZDZIAŁ 1

Zakaz wjazdu do Midwich

Szczęśliwym trafem moja żona wyszła za mąż za człowieka urodzonego 26 września. Gdyby nie to, niewątpliwie w nocy z 26 na 27 oboje bylibyśmy w domu w Midwich, co miałoby przykre konsekwencje, których, za co jestem wieczyście wdzięczny losowi, dzięki temu uniknęła.

Ponieważ jednak były to moje urodziny, a w pewnym stopniu również dlatego, że poprzedniego dnia otrzymałem i podpisałem umowę z amerykańskim wydawcą, rankiem 26 wyruszyliśmy do Londynu, żeby to uczcić. I bardzo przyjemnie spędziliśmy wieczór. Miłe pogawędki, homar i chablis w restauracji Wheelera, nowa sztuka z Ustinovem, lekka kolacja i powrót do hotelu, gdzie Janet podziwiała łazienkę, jak zwykle zafascynowana wystrojem zaprojektowanym przez kogoś innego.

Następnego ranka niespiesznie wyruszyliśmy z powrotem do Midwich. Zatrzymaliśmy się w Trayne, leżącym najbliżej nas miasteczku, w którym robimy zakupy. Nabyliśmy kilka artykułów spożywczych, potem przejechaliśmy główną drogą, przez wioskę Stouch, żeby później skręcić w prawo na boczną drogę do... Jednak nie. Połowę jezdni zagradzał szlaban ze zwisającą z niego tabliczką z napisem „DROGA ZAMKNIĘTA", a obok stał policjant, który podniósł rękę...

Tak więc zatrzymałem samochód. Policjant podszedł do niego z mojej strony i rozpoznałem w nim mieszkańca Trayne.

– Przykro mi, proszę pana, ale ta droga jest zamknięta.

– Chce pan powiedzieć, że muszę zrobić objazd drogą na Oppley?

– Obawiam się, że ona też jest zamknięta, proszę pana.

– Przecież...

Za nami rozległ się klakson.

– Zechce pan cofnąć wóz i zjechać w lewo.

Zaskoczony, zrobiłem, co kazał, a wtedy obok nas i niego przejechała trzytonowa wojskowa ciężarówka pełna młodych ludzi odzianych w mundury koloru khaki.

– W Midwich wybuchła rewolucja? – zapytałem.

– Manewry – wyjaśnił. – Droga jest nieprzejezdna.

– Ale chyba nie obie drogi? Mieszkamy w Midwich, jak pan wie, konstablu.

– Wiem, proszę pana. Na razie jednak droga jest zamknięta. Na pana miejscu wróciłbym do Trayne i zaczekał, aż ją otworzymy. Tu nie może pan parkować, ponieważ to utrudnia przejazd.

Janet otworzyła drzwi po stronie pasażera i wzięła torbę z zakupami.

– Pójdę pieszo, a ty dojedziesz, kiedy otworzą drogę – powiedziała do mnie.

Konstabl się zawahał. Potem zniżył głos.

– Ponieważ mieszkacie tam, coś państwu powiem – ale to poufne. Nie ma sensu tam iść, proszę pani. Nikt nie dostanie się do Midwich – to fakt.

Spojrzeliśmy na niego ze zdumieniem.

– Ale dlaczego, do licha? – spytała Janet.

– Właśnie to usiłują ustalić, proszę pani. Cóż, na państwa miejscu pojechałbym do zajazdu Eagle w Trayne, a ja dopilnuję, żeby zawiadomiono was, jak tylko droga będzie przejezdna.

Janet i ja popatrzyliśmy na siebie nawzajem.

– No cóż – powiedziała do konstabla – to wydaje się bardzo dziwne, ale skoro jest pan pewny, że nie możemy przejechać...

– Jestem pewny, proszę pani. I takie mam rozkazy. Damy państwu znać, jak tylko to będzie możliwe.

Gdybyśmy chcieli zrobić awanturę, to nie jemu; ten człowiek spełniał tylko swój obowiązek i robił to tak uprzejmie, jak to było możliwe.

– Bardzo dobrze – ustąpiłem. – Nazywam się Gayford, Richard Gayford. Powiem w zajeździe, żeby przekazano mi wiadomość, w razie gdyby nie było mnie tam, kiedy przyjdzie.

Odjechałem na wstecznym biegu, aż znaleźliśmy się na głównej drodze, i wierząc mu na słowo, że drugi dojazd do Midwich również jest zamknięty, pojechałem z powrotem. Gdy tylko minęliśmy Stouch, zatrzymałem samochód przed bramą wjazdową na jakieś pole.

– Coś mi to wygląda podejrzanie – stwierdziłem. – Może przejdziemy przez pola i zobaczymy, co się dzieje?

– Ten policjant też zachowywał się dziwnie. Chodźmy – zgodziła się Janet, otwierając drzwi wozu.

Wszystko to było tym dziwniejsze, że Midwich niemal słynie z tego, że nigdy nic się tam nie dzieje.

Mieszkaliśmy tam z Janet już ponad rok i odkryliśmy, że jest to praktycznie dominująca cecha tej wioski. Faktycznie, gdyby przy wjeździe do tej miejscowości ustawiono znaki drogowe z napisem MIDWICH – NIE BUDZIĆ, doskonale by tam pasowały. Dlaczego więc Midwich zostało wybrane spośród tysiąca innych wiosek na miejsce tego dziwnego zdarzenia z 26 września, pozostanie tajemnicą na wieki.

Zważmy, jak skrajnie zwyczajna jest ta miejscowość.

Midwich leży około ośmiu mil na północny zachód od Trayne. Główna droga biegnąca na zachód z Trayne wiedzie przez sąsiednie wioski Stouch i Oppley, a z nich boczne drogi prowadzą do Midwich. Tak więc ta wioska znajduje się na wierzchołku trójkąta tworzonego przez drogi łączące wszystkie trzy te miejscowości; jest tam jeszcze wijąca się przez pięć mil dróżka jak z powieści Chestertona – można nią dotrzeć od leżącego trzy mile na północ Hickham.

W centrum Midwich jest trójkątne Błonie ozdobione pięcioma ładnymi wiązami i otoczonym białą barierką stawkiem. Pomnik ofiar wojny stoi na dziedzińcu kościoła zajmującego jeden wierzchołek Błonia, otoczonego przez sam kościół, plebanię, kuźnię, pocztę, sklep pani Welt oraz kilka domów. Cała wioska składa się z około sześćdziesięciu chat i domków, ratusza, Kyle Manor i The Grange.

Kościół jest w większości późnogotycki, ale z normandzką zachodnią bramą i frontonem. Plebania to budynek z czasów króla Jerzego, The Grange to architektura wiktoriańska, a Kyle Manor korzeniami sięga dynastii Tudorów z licznymi późniejszymi dodatkami. Domy reprezentują niemal wszystkie style architektury angielskiej z czasów panowania obu Elżbiet, ale od dwóch nowo wybudowanych budynków Rady Okręgu nowsze są dwa utylitarne skrzydła dobudowane do The Grange, gdy ministerstwo przejęło tę posiadłość i utworzyło tam ośrodek badań naukowych.

Istnienie Midwich nigdy nie zostało przekonująco wyjaśnione. Nie ma dość dogodnej lokalizacji na cotygodniowe targi ani nawet nie leży przy jakimś ważnym trakcie handlowym. Po prostu pojawiło się w niewiadomym czasie; w Domesday Book widnieje jako osada i taką pozostała, ponieważ ominęły ją linie kolejowe, główne drogi, a nawet kanały żeglugowe.

O ile wiadomo, nie ma tu żadnych złóż minerałów; żaden urzędnik nigdy nie uznał jej za dogodne miejsce na lotnisko, poligon artyleryjski czy szkołę wojskową; jedynie obecność ministerstwa i remont The Grange wywarły pewien niewielki wpływ na życie wioski. Przez tysiąc lat Midwich – dotychczas – sennie trwało na swych dobrych glebach w błogim zapomnieniu i aż do tego wieczoru 26 września wydawało się, że nie ma powodu, żeby ten stan rzeczy nie miał się utrzymać przez następne tysiąclecie.

Co jednak bynajmniej nie oznacza, że Midwich nie ma żadnej własnej historii. Miewało swoje chwile. W 1931 roku stało się epicentrum epidemii pryszczycy o nieustalonym pochodzeniu. A w 1916 roku zabłąkany sterowiec zrzucił tu na orne pole bombę, która na szczęście nie wybuchła. Jeszcze wcześniej nazwa miasta pojawiła się w nagłówkach wszystkich – no, raczej lokalnych – gazet, gdy Słodka Polly Parker zastrzeliła na schodach gospody The Scythe and Stone podrzędnego rozbójnika, Czarnego Neda. I choć ten jej wyraz dezaprobaty wydaje się bardziej osobistej niż społecznej natury, była wielce wychwalana za to w balladach z 1768 roku.

Była jeszcze sensacyjna kasata pobliskiego klasztoru Świętego Akcjusza i rozproszenie braci po innych opactwach, co było tematem niekończących się spekulacji od tego zajścia w 1493 roku.

Inne wydarzenia to wykorzystanie miejscowego kościoła jako stajni dla koni Cromwella oraz wizyta Williama Wordswortha, który zainspirowany ruinami opactwa stworzył jeden ze swych rutynowo pochwalnych sonetów.

Jednak nie licząc tych zdarzeń, nurt historii przepływał przez Midwich bez żadnych zawirowań.

Bo też jego mieszkańcy – może z wyjątkiem niektórych młodych ludzi w krótkim okresie przedmałżeńskiego stanu – niczego innego nie pragnęli. W istocie poza pastorem i jego żoną, rodziną Zellabych z Kyle Manor, lekarzem, pielęgniarką rejonową, nas dwojgiem i oczywiście naukowcami, większość z nich od niezliczonych pokoleń żyła tu w niczym niezmąconym spokoju, który stał się prawem.

Aż do późnego popołudnia 26 września nic nie zapowiadało kłopotów. Może pani Brant, żona kowala, poczuła się trochę nieswojo na widok dziewięciu srok na jednym polu, jak później twierdziła, a panna Ogle, poczmistrzyni, miała poprzedniej nocy niepokojący sen o niezwykle wielkich nietoperzach; nawet jednak jeśli tak było, to niestety złowróżbne znaki pani Brant i sny panny Ogle zdarzały się tak często, że przestały budzić trwogę. Nie ma żadnego dowodu na to, by w tamten poniedziałek aż do późnego wieczoru w Midwich działo się coś niezwykłego. I tak to wyglądało wtedy, gdy Janet i ja wyruszyliśmy do Londynu. Jednak we wtorek 27 września...

Zamknęliśmy samochód, przeleźliśmy przez bramę i ruszyliśmy po rżysku, trzymając się w cieniu żywopłotu. Na jego końcu wyszliśmy na następne ściernisko i przecięliśmy je, idąc lekko w górę. Pole było rozległe, z gęstym żywopłotem na odległym krańcu, gdzie musieliśmy pójść jeszcze dalej w lewo, w poszukiwaniu bramy, przez którą moglibyśmy przeleźć. W połowie drogi przez leżące za nią pastwisko wyszliśmy na szczyt wzniesienia, skąd mogliśmy zobaczyć Midwich – wprawdzie było niemal skryte za drzewami, ale widzieliśmy kilka leniwie unoszących się pasm szarawego dymu i kościelną wieżę sterczącą spomiędzy wiązów. Ponadto na środku następnego pola zobaczyłem cztery lub pięć leżących tam krów, najwyraźniej śpiących.

Nie wychowałem się na wsi, ja tu tylko mieszkam, ale pamiętam, że już wtedy podświadomie wyczułem, że coś tu jest nie tak. Owszem, krowy często zalegają na pastwisku, przeżuwając pokarm, ale nie zasypiają głębokim snem, nie. Jednak w tamtym momencie miałem tylko niejasne wrażenie, że coś jest nie w porządku. Poszliśmy dalej.

Pokonaliśmy ogrodzenie pastwiska, na którym leżały te krowy, i ruszyliśmy przez nie.

Ktoś zawołał nas z daleka, po lewej. Obejrzałem się i na środku następnego pola zobaczyłem postać w odzieniu koloru khaki. Mężczyzna krzyczał coś niezrozumiale, ale sposób, w jaki wymachiwał laską, nie pozostawiał wątpliwości, że każe nam zawrócić. Przystanąłem.

– Och, daj spokój, Richard. On jest mile od nas – powiedziała niecierpliwie Janet i pobiegła naprzód.

Ja wciąż się wahałem, patrząc na tę postać, która teraz jeszcze energiczniej machała laską i krzyczała głośniej, choć wciąż niezrozumiale. Postanowiłem pójść w ślady Janet. Już wyprzedziła mnie o jakieś dwadzieścia jardów, a potem, gdy właśnie ruszyłem, zachwiała się, upadła bezgłośnie i znieruchomiała...

Stanąłem jak wryty. Zrobiłem to odruchowo. Gdyby upadła, ponieważ skręciła nogę lub po prostu się potknęła, natychmiast pobiegłbym jej pomóc. Jednak to było tak nagłe i niespodziewane, że przez głowę przemknęła mi idiotyczna myśl, że ktoś ją zastrzelił.

Zatrzymałem się tylko na moment. Potem znów ruszyłem naprzód. Niejasno zdawałem sobie sprawę z tego, że mężczyzna po lewej wciąż krzyczy, ale nie zwracałem na niego uwagi. Popędziłem do niej…

Jednak nie dobiegłem.

Straciłem przytomność tak szybko, że nawet nie zobaczyłem ziemi, która uniosła się, by mnie uderzyć…

ROZDZIAŁ 2

W Midwich jest spokojnie

Jak już powiedziałem, 26 września w Midwich wszystko toczyło się normalnym trybem. Zbadałem to bardzo wnikliwie i jestem w stanie powiedzieć wam, gdzie był niemal każdy z mieszkańców i co robił tego wieczoru.

Na przykład w The Scythe and Stone bawiła się ta sama co zazwyczaj liczba stałych bywalców. Niektórzy młodsi mieszkańcy wioski udali się do kina w Trayne – przeważnie ci sami, którzy byli tam w poprzedni poniedziałek. Na poczcie panna Ogle robiła na drutach obok centralki telefonicznej, utwierdzając się w przekonaniu, że bezpośrednie rozmowy są o wiele ciekawsze od telefonicznych. Pan Tapper, który pracował jako ogrodnik, zanim wygrał bajońską sumę na loterii, złościł się na swój ukochany kolorowy telewizor znów mrugający czerwoną diodą i wyzywał go takimi słowami, że jego żona pospiesznie poszła spać. W kilku nowych laboratoriach dobudowanych do The Grange wciąż paliły się światła, lecz nie było w tym niczego niezwykłego: niektórzy naukowcy często prowadzili swe tajemnicze badania do późnej nocy.

Jednak choć wszystko wyglądało tak normalnie, nawet pozornie najzwyczajniejszy dzień może być dla kogoś niezwykły. Na przykład, jak już powiedziałem, w tym dniu obchodziłem urodziny, więc nasz domek był zamknięty, a światła w nim zgaszone. A w Kyle Manor przypadkiem właśnie tego dnia panna Ferrelyn Zellaby wyjaśniła panu Alanowi (podporucznikowi rezerwy) Hughesowi, że w praktyce do zaręczyn trzeba więcej niż dwojga, więc byłoby miło, gdyby powiedział o nich jej ojcu.

Po krótkim namyśle i słabym sprzeciwie Alan uległ i udał się do gabinetu Gordona Zellaby'ego, żeby zapoznać go z sytuacją.

Zastał właściciela Kyle Manor wygodnie usadowionego w dużym fotelu. Przyszły teść miał zamknięte oczy, a szacownie siwą głowę oparł o prawe zgięcie podgłówka, tak że na pierwszy rzut oka wydawał się ukołysany do snu wspaniale odtwarzaną muzyką wypełniającą pokój. Jednak bez słowa i z zamkniętymi oczyma rozwiał to wrażenie, machnięciem lewej ręki wskazując gościowi drugi fotel, a potem uciszył go, przykładając palec do ust.

Alan na palcach podszedł do wskazanego fotela i usiadł. Wszystkie przygotowane słowa, które miał na końcu języka, uleciały gdzieś bezpowrotnie i przez mniej więcej dziesięć następnych minut rozglądał się po pokoju.

Jedną ścianę od podłogi po sufit zajmowały półki z książkami, pozostawiające tylko lukę na drzwi, przez które tu wszedł. Rząd niskich biblioteczek z książkami ciągnął się także pod innymi ścianami, przerywany przez okna balkonowe, gramofon i kominek, na którym płonął miły, lecz niezbyt potrzebny ogień. Jedną z przeszklonych gablot zajmowały dzieła Zellaby'ego w różnych wydaniach i językach, z miejscem na najniższej półce na następne.

Nad tą witryną wisiał wykonany czerwoną kredą szkic przedstawiający przystojnego młodzieńca, którego po około czterdziestu latach wciąż można było dostrzec w Gordonie Zellabym. Na innej stało popiersie z brązu, dokumentujące wrażenie, jakie zrobił na Epsteinie jakieś dwadzieścia pięć lat później. Tu i ówdzie na ścianach wisiały podpisane portrety różnych znanych osobistości. Miejsce nad kominkiem i wokół niego było zarezerwowane na bardziej osobiste pamiątki. Oprócz portretów ojca, matki, brata i dwóch sióstr Gordona Zellaby'ego wisiały tam podobizny Ferrelyn i jej matki (pani Zellaby numer jeden).

Portret Angeli, obecnej żony Gordona Zellaby'ego, stał na meblu zajmującym eksponowane miejsce na środku w pokoju, wielkim biurku z obitym skórą blatem, na którym zostały napisane dzieła.

Na wspomnienie tych dzieł Alan zaczął się zastanawiać, czy może zjawił się tu w niezbyt sprzyjającej chwili, w trakcie procesu tworzenia nowego. Co objawiało się w wyraźnym rozkojarzeniu pana Zellaby'ego.

– Zawsze tak jest, kiedy tworzy – wyjaśniła Ferrelyn. – Częściowo się zatraca. Chodzi na długie spacery, w których trakcie się gubi i dzwoni do domu, żeby po niego przyjechać. To trochę męczące, ale przechodzi mu, kiedy już zaczyna pisać. Wtedy musimy tylko traktować go stanowczo: pilnować, żeby jadł posiłki, i w ogóle.

Cały ten pokój, z tymi wygodnymi fotelami, dobrym oświetleniem i grubym dywanem, Alan uznał za praktyczną wykładnię poglądów właściciela na sens życia. Pamiętał, że w *Dopóki trwamy*, jedynym jego dziele, które dotąd przeczytał, Zellaby traktował ascezę i brak umiaru za świadectwa nieprzystosowania do życia. Alan uważał tę książkę za interesującą, ale ponurą; jego zdaniem autor nie przywiązywał należytej wagi do faktu, że nowe pokolenie jest energiczniejsze i trzeźwiej myślące od poprzedniego...

W końcu utwór zakończył się czystym dźwiękiem smyczków. Zellaby wyłączył gramofon dźwigienką na podłokietniku fotela, otworzył oczy i spojrzał na Alana.

– Mam nadzieję, że nie masz mi tego za złe – przeprosił. – Uważam, że gdy Bach zaczyna rozbrzmiewać, należy pozwolić mu skończyć. Ponadto – dodał, zerkając na szafkę z gramofonem – wciąż nie wiemy, jak traktować takie innowacje. Czy sztuka muzyki jest mniej godna szacunku tylko dlatego, że wykonawca nie jest osobiście obecny przy odtwarzaniu swego dzieła? Jak się zachować? Powinienem skupić uwagę na panu, a pan na mnie, czy obaj powinniśmy skupić się na genialnym dziele – nawet z drugiej ręki? Nikt nam tego nie powie. Nigdy nie będziemy wiedzieli. Najwyraźniej nie radzimy sobie z nowinkami w naszym życiu towarzyskim, nieprawdaż? Świat dobrych manier rozpadł się pod koniec ubiegłego wieku i nie ma zbioru zasad określających sposób postępowania ze wszystkim, co od tej pory wymyślono. Nie ma nawet reguł, które mogliby łamać indywidualiści, co jest kolejnym ciosem zadanym wolności. Godne ubolewania, nie sądzi pan?

– Hmm, tak – rzekł Alan. – Ja... hmm...

– Chociaż, proszę zauważyć – ciągnął pan Zellaby – nawet dostrzeganie istnienia tego problemu jest odrobinę démodé. Typowy przedstawiciel tego stulecia nie ma ochoty oswajać się z innowacjami; on po prostu łapczywie korzysta ze wszystkich, które się pojawiają. Dopiero gdy napotka naprawdę wielki problem, uświadamia sobie społeczne tego konsekwencje, a wtedy zamiast pójść na ustępstwa usiłuje szukać nieistniejących łatwych rozwiązań, blokować postęp, ukrywać fakty – tak jak w sprawie bomby A.

– Hmm... tak, zapewne. Co chcia...

Pan Zellaby wyczuł w tej odpowiedzi brak entuzjazmu.

– Kiedy jest się młodym – rzekł ze zrozumieniem – niekonwencjonalny, nieuregulowany sposób życia z dnia na dzień wydaje się romantyczny. Na pewno jednak zgodzi się pan, że tak nie można rozwiązać złożonych kwestii tego świata. Na szczęście my, ludzie Zachodu, wciąż zachowaliśmy podstawy naszej etyki, lecz pewne oznaki wskazują, że ten fundament z najwyższym trudem utrzymuje ciężar nowej wiedzy, nie sądzi pan?

Alan nabrał tchu. Doskonale pamiętał, że już wcześniej kilkakrotnie został uwikłany w pajęczynę retoryki Zellaby'ego, tak więc podjął próbę szybkiego rozwiązania problemu.

– Właściwie chciałem się z panem widzieć w zupełnie innej sprawie – oznajmił.

Kiedy przerywano mu jego głośne rozmyślania, Zellaby zwykle traktował to wyrozumiale. Teraz także odłożył na później dalsze rozważania nad fundamentami etyki, aby dociec w czym rzecz.

– Ależ oczywiście, mój drogi. Jak najbardziej. W jakiej?

– Chodzi o... no, o Ferrelyn, proszę pana.

– Ferrelyn? Ach, tak. Obawiam się, że pojechała na kilka dni do Londynu, żeby zobaczyć się z matką. Wróci jutro.

– Hmm... Wróciła dzisiaj, panie Zellaby.

– Naprawdę? – wykrzyknął Zellaby. Zastanowił się nad tym. – No tak, masz absolutną rację. Przecież była tu na obiedzie. Oboje byliście – stwierdził triumfalnie.

– Tak – rzekł Alan i z determinacją wykorzystał tę szansę, nieprzyjemnie świadomy tego, że kompletnie zapomniał całą starannie przygotowaną przemowę. Jakoś jednak zdołał przekazać wiadomość.

Zellaby cierpliwie słuchał, aż Alan wreszcie dobrnął do konkluzji:

– Tak więc mam nadzieję, że nie będzie pan miał nic przeciwko naszym oficjalnym zaręczynom.

Słysząc to, Zellaby zrobił wielkie oczy.

– Mój drogi, przeceniasz moje wpływy. Ferrelyn jest rozsądną dziewczyną i nie mam żadnych wątpliwości, że do tej pory ona i jej matka wiedzą o tobie wszystko i razem podjęły dobrze przemyślaną decyzję.

– Przecież ja jeszcze nawet nie znam pani Holder – zaprotestował Alan.

– Gdybyś ją znał, miałbyś lepszy obraz sytuacji. Jane jest wspaniałą organizatorką – powiedział pan Zellaby, życzliwie spoglądając na jedno ze zdjęć na półce nad kominkiem. Wstał. – No cóż, doskonale wykonałeś swoje zadanie, więc ja również muszę zachować się w odpowiedni zdaniem Ferrelyn sposób. Zechcesz zwołać całe towarzystwo, gdy ja pójdę po butelkę?

Po kilku minutach, w obecności żony, córki i przyszłego zięcia, Zellaby podniósł kieliszek.

– Teraz wypijmy – oznajmił – za połączenie bratnich dusz. To prawda, że instytucja małżeństwa, jakim widzi je Kościół i państwo, w przygnębiająco mechanistyczny sposób upodabnia się do partnerstwa – w istocie przypominającego związek, w jakim pozostawał Noe. Ludzki duch jednak jest silny i często tak się dzieje, że miłość potrafi przezwyciężyć te brutalne instytucjonalne ingerencje. Tak więc miejmy nadzieję…

– Tato – przerwała mu Ferrelyn – jest po dziesiątej i Alan musi w porę wrócić do obozu, inaczej zostanie zdegradowany albo nie wiem co. Tak naprawdę musisz tylko powiedzieć: „żyjcie oboje długo i szczęśliwie".

– Och – stropił się pan Zellaby. – Jesteś pewna, że to wystarczy? To taki krótki toast. Skoro jednak uważasz, że jest odpowiedni, to go wygłoszę. Z całego serca.

Zrobił to.

Alan odstawił pusty kieliszek.

– Obawiam się, że Ferrelyn ma rację – powiedział. – Muszę już iść.

Zellaby współczująco pokiwał głową.

– Musi ci być ciężko. Jak długo jeszcze będą cię tam trzymać?

Alan odparł, że ma nadzieję zostać zwolniony z wojska za około trzy miesiące. Zellaby znów skinął głową.

– Sądzę, że to doświadczenie okaże się przydatne. Czasem żałuję, że mnie to ominęło. Byłem za młody, żeby wziąć udział w pierwszej wojnie, a podczas drugiej tkwiłem za biurkiem w Ministerstwie Informacji. Wolałbym uczestniczyć w nich bardziej aktywnie. No cóż, dobranoc, mój drogi. To... – Urwał, uderzony nagłą myślą. – A niech mnie, wiem, że wszyscy mówimy ci po imieniu, ale chyba nie znam twojego nazwiska. Może powinienem je poznać.

Alan podał mu je i ponownie uścisnęli sobie dłonie.

Gdy wyszedł z Ferrelyn do holu, spojrzał na zegar.

– Widzę, że muszę się spieszyć. Zobaczymy się jutro, kochanie. O szóstej. Dobranoc, cukiereczku.

Pocałowali się namiętnie, lecz krótko w drzwiach, po czym zbiegł po schodach i pognał do małego czerwonego samochodu stojącego na podjeździe. Silnik zapalił i zawarczał. Alan pomachał ręką na pożegnanie i ruszył z impetem, aż żwir trysnął spod tylnych kół.

Ferrelyn patrzyła, jak tylne światła samochodu maleją i nikną. Stała, słuchając, jak głośny warkot zmienia się w odległy pomruk, a potem zamknęła frontowe drzwi. Wracając do gabinetu, zauważyła, że zegar w holu pokazuje już kwadrans po dziesiątej.

Jednak wówczas, o dziesiątej piętnaście, w Midwich nie działo się jeszcze nic nadzwyczajnego.

Po odjeździe Alana nastał znów spokój w tej niewielkiej społeczności, której większość członków spędziła najzupełniej zwyczajny dzień i oczekiwała równie zwyczajnego jutra.

Z wielu okien żółty blask wciąż płynął w łagodny mrok nocy, gdzie lśnił w wilgotnych kroplach wcześniejszego deszczu. Sporadyczny gwar i wybuchy śmiechu nie dochodziły z wioski, lecz z odległego o wiele mil studia radiowego, w którym nagrano je kilka dni wcześniej; tworzyły jedynie dźwiękowe tło dla większości szykujących się do snu mieszkańców. Wielu najmłodszych i najstarszych już było w łóżkach, a żony napełniały im termofory gorącą wodą.

Ostatni goście wyproszeni z gospody postali przed nią kilka minut, oswajając wzrok z ciemnością, zanim się rozeszli, i do dziesiątej piętnaście wszyscy dotarli do swoich domów prócz niejakiego Alfreda Waita oraz pewnego Harry'ego Crankharta, którzy wciąż spierali się o sens stosowania nawozów.

Ostatnim wydarzeniem tego dnia miał być przyjazd autobusu przywożącego najbardziej dziarskich mieszkańców po wieczorze spędzonym w Trayne. Potem Midwich miało w końcu zapaść w sen.

O dziesiątej piętnaście na plebanii panna Polly Rushton pomyślała, że gdyby położyła się pół godziny wcześniej, to mogłaby poczytać książkę, która teraz leżała zamknięta na jej kolanach, i o ile przyjemniejsze by to było od słuchania rywalizacji wujostwa. Ponieważ na jednym końcu pokoju wuj Hubert, czyli wielebny Hubert Leebody, usiłował słuchać nadawanej w trzecim programie debaty o przedsofoklesowskiej koncepcji kompleksu Edypa, gdy jednocześnie na drugim ciotka Dora rozmawiała przez telefon. Pan Leebody uważał, że naukowej dyskusji nie powinna zagłuszać babska gadanina i już podkręcił głośność o dwie kreski, a miał jeszcze w zapasie czterdziestopięciostopniowy obrót pokrętła. Nie można mieć mu za złe, że nie zgadł, iż to, co uznał za szczególnie bezsensowną wymianę kobiecych trosk, może się okazać istotne. Nikt inny też by się tego nie domyślił.

Do pani Leebody dzwoniła z South Kensington w Londynie jej najlepsza przyjaciółka, pani Cluey, szukając wsparcia. O dziesiątej szesnaście doszła do sedna sprawy.

— A teraz powiedz mi, Doro — i pamiętaj, że ma to być twoja szczera odpowiedź: uważasz, że suknia Kathy powinna być z białej satyny czy z białego brokatu?

Pani Leebody zwlekała z odpowiedzią. Najwyraźniej w tej kwestii słowo „szczera" było pojęciem względnym i pani Cluey postąpiła co najmniej nietaktownie, formułując to pytanie w sposób niesugerujący poprawnej odpowiedzi. Zapewne z satyny, pomyślała pani Leebody, ale nie chciała zgadywać i ryzykować w ten sposób wieloletniej przyjaźni. Spróbowała uzyskać jakąś wskazówkę.

— Oczywiście dla młodziutkiej panny młodej… ale też trudno nazwać Kathy młodziutką, więc może…

— Nie jest młodziutka — zgodziła się pani Cluey i czekała.

Pani Leebody przeklinała w duchu natarczywość przyjaciółki, a także słuchany przez męża program radiowy, który nie pozwalał jej się skupić i znaleźć zręcznej odpowiedzi.

— Cóż — powiedziała w końcu — oczywiście Kathy w obu może wyglądać czarująco, ale naprawdę uważam, że…

I w tym momencie jej głos nagle zamilkł…

W odległym South Kensigton pani Cluey niecierpliwie czekała na resztę zdania i spoglądała na zegarek. W końcu nacisnęła widełki telefonu, a potem wykręciła zero.

— Chcę złozyć reklamację — oznajmiła. — Właśnie moje połączenie zostało przerwane w trakcie bardzo bardzo ważnej rozmowy.

Telefonista powiedział, że spróbuje ją połączyć ponownie. Po kilku minutach przyznał, że nie zdoła.

– Co za nieudolność – powiedziała pani Cluey. – Złożę pisemne zażalenie. Nie zapłacę ani za minutę więcej, niż trwała rozmowa... Właściwie w tych okolicznościach nie wiem dlaczego w ogóle miałabym zapłacić za połączenie. Zostało przerwane dokładnie o dziesiątej siedemnaście.

Telefonista w centrali z zawodową uprzejmością przyjął reklamację i odnotował czas jej zgłoszenia – godzina 22.17 w dniu 26 września...

ROZDZIAŁ 3

Midwich odpoczywa

Od godziny dziesiątej siedemnaście owego wieczoru informacje o Midwich stały się fragmentaryczne. Telefony przestały działać. Autobus, który miał przejechać, nie dotarł do Stouch, a wysłana po niego ciężarówka nie wróciła. RAF powiadomił Trayne, że jakiś niezidentyfikowany obiekt latający, który nie jest, powtarzamy, nie jest maszyną wojskową, został wykryty przez radar w pobliżu Midwich, gdzie być może wylądował awaryjnie. Ktoś z Oppley zgłosił pożar budynku w Midwich, którego najwyraźniej nikt nie gasi. Z Trayne wyjechała straż pożarna – i stracono z nią kontakt. Policja z Trayne wysłała radiowóz, żeby sprawdził, co się stało z wozem strażackim, ale policyjny patrol również znikł i zamilkł. Z Oppley zgłoszono drugi pożar, a gdy najwyraźniej i tego nikt nie gasił, zadzwoniono po konstabla Gobby'ego i wysłano go na rowerze do Midwich; potem i on nie dał już znaku życia...

* * *

Świt 27 września przypominał mokrą brudną szmatę rozpostartą na niebie koloru pomyj, z ledwie sączącym się przez nią szarawym światłem. Pomimo to w Oppley i Stouch koguty piały, a inne ptaki witały go melodyjniej. Natomiast w Midwich nie odezwał się żaden ptak.

W Oppley i Stouch, tak jak wszędzie, niebawem wyciągnęły się ręce, aby uciszyć budziki, ale w Midwich budziki dzwoniły, aż same umilkły.

W innych wioskach zaspani ludzie opuszczali swoje domy i sennie witali znajomych z pracy; w Midwich nikt nikogo nie spotykał.

Ponieważ Midwich leżało uśpione...

Podczas gdy reszta świata zaczęła wypełniać dzień gwarem, Midwich nadal spało... Mężczyźni i kobiety, konie, krowy i owce, świnie, drób, słowiki, krety i myszy – wszystkie żywe stworzenia leżały tam nieruchomo. W Midwich panowała cisza, przerywana jedynie szemraniem liści, biciem zegara na kościelnej wieży i bulgotem wody w wąskim jazie koło młyna...

A choć świt wciąż był brzydki i słaby, oliwkowozielona furgonetka z ledwie widocznym napisem „Poczta – Telegraf – Telefon" wyruszyła z Trayne z zadaniem ponownego połączenia reszty świata z Midwich.

W Stouch zatrzymała się przy budce telefonicznej, żeby sprawdzić, czy Midwich wykazuje jakieś oznaki życia. Nie wykazywało; od godziny 22.17 wciąż pozostawało odcięte od świata. Furgonetka ponownie ruszyła i grzechocząc, pojechała dalej w niepewnie szarzejącym blasku poranka.

– Kurczę! – powiedział towarzyszący kierowcy monter linii telefonicznych. – O kurczę! Tej całej pannie Ogle oberwie się za ten numer tak, że się nie pozbiera.

– Nie rozumiem – narzekał kierowca. – Gdyby mnie kto

pytał, to ta baba zawsze jest na nasłuchu, we dnie i w nocy, czy ktoś rozmawia czy nie. To chyba jakiś żart — dodał niejasno.

Kawałek za Stouch furgonetka ostro skręciła w prawo i podskakując, przejechała około pół mili wyboistą boczną drogą prowadzącą do Midwich. Minęła zakręt i napotkała sytuację, która wymagała pełnej przytomności umysłu kierowcy.

Ten nagle ujrzał przechylony na bok wóz strażacki, dwoma kołami tkwiący w rowie, czarną limuzynę, która kilka jardów dalej utknęła w połowie wysokiego pobocza po drugiej stronie drogi, a trochę dalej leżącego w rowie mężczyznę i rower. Ostro zahamował, próbując ominąć oba pojazdy, ale nie zdołał: furgonetka wpadła w poślizg i kilkakrotnie podskoczywszy na wybojach, utkwiła bokiem w żywopłocie.

Pół godziny później pierwszy poranny autobus — jadący z nadmierną prędkością, ponieważ jego pierwszymi pasażerami zawsze były dzieci udające się do szkoły w Oppley i wsiadające dopiero w Midwich — z impetem minął ten sam zakręt i utknął w luce między wozem strażackim a furgonetką, kompletnie blokując drogę.

Na drugiej drodze do Midwich — tej łączącej je z Oppley — podobne kłębowisko pojazdów na pierwszy rzut oka sprawiało wrażenie, że ta droga przez noc zmieniła się w szrot. Tam furgonetka pocztowa była pierwszym pojazdem, który się zatrzymał i nie dołączył do karambolu.

Jeden z jadących nią wysiadł i ruszył naprzód, aby rozeznać się w sytuacji. Właśnie zbliżał się do unieruchomionego autobusu, gdy nagle bezgłośnie się zgiął i upadł na ziemię. Kierowca furgonetki rozdziawił usta i wytrzeszczył oczy. Potem przeniósł wzrok dalej i ujrzał głowy kilku pasażerów autobusu, siedzących nieruchomo. Pospiesznie cofnął wóz, zawrócił i pojechał do Oppley oraz najbliższego telefonu.

Tymczasem podobny stan rzeczy od strony Stouch odkrył kierowca furgonetki z pieczywem i po dwudziestu minutach na obu drogach dojazdowych do Midwich podjęto niemal identyczne działania. Nadjechały karetki, niczym zakuci w stal rycerze spieszący na ratunek. Otworzyły się ich tylne drzwi. Wyszli odziani w biel mężczyźni, zapinając guziki fartuchów i przezornie gasząc niedopalone papierosy. Fachowym, budzącym zaufanie wzrokiem obejrzeli karambol, rozłożyli nosze i przygotowali się do akcji.

Na drodze z Oppley dwaj sanitariusze z noszami żwawo podeszli do nieruchomego pocztowca, lecz gdy pierwszy z nich zbliżył się do ciała, nagle się zachwiał, zgiął i upadł na nogi leżącego. Drugi sanitariusz wybałuszył oczy. Z paplaniny za swoimi plecami wyłowił słowo „gaz" i upuścił nosze, jakby nagle zaczęły go parzyć, po czym pospiesznie się wycofał.

Przez chwilę trwała narada. W końcu kierowca wydał werdykt, kręcąc głową.

– To robota nie dla nas – zawyrokował z przekonaniem prawnika przytaczającego precedens. – Powiedziałbym, że raczej dla strażaków.

– Moim zdaniem dla wojska – orzekł sanitariusz. – Tu potrzebne są maski gazowe, a nie tylko przeciwdymne.

ROZDZIAŁ 4

Operacja Midwich

Mniej więcej wtedy, gdy Janet i ja dojeżdżaliśmy do Trayne, porucznik Alan Hughes stał ramię w ramię z oficerem straży pożarnej Norrisem na drodze do Oppley. Obserwowali, jak inny strażak usiłuje zahaczyć leżącego sanitariusza bosakiem. W końcu mu się to udało i zaczął go przyciągać. Nieprzytomna ofiara została przeciągnięta półtora jarda po asfalcie, a potem nagle usiadła i zaczęła kląć.

Alan doszedł do wniosku, że jeszcze nigdy nie słyszał piękniejszych słów. Głęboki niepokój, z jakim przybył na miejsce wypadku, już się zmniejszył po odkryciu, że nieprzytomne ofiary tego niepojętego zdarzenia oddychają – wprawdzie cicho, ale regularnie. Teraz okazało się, że przynajmniej jedna z nich nie wykazuje żadnych zdecydowanie ujemnych skutków ponad dziewięćdziesięciominutowej utraty przytomności.

– Dobrze – rzekł Alan. – Jeśli jemu nic nie jest, to może pozostałym też nic się nie stało – chociaż to wcale nas nie przybliża do wyjaśnienia, co się tu dzieje.

Następnym zahaczonym i przyholowanym był pocztowiec. Ten leżał tam trochę dłużej niż sanitariusz, ale odzyskał przytomność równie samodzielnie i szybko.

– To najwyraźniej ma ściśle określony zasięg działania – dodał Alan. – Czy kto słyszał, żeby gaz wisiał nieruchomo w jednym miejscu, w dodatku przy wiejącym wietrze? To bez sensu.

– I nie może to być parująca kałuża jakiejś lotnej substancji – orzekł oficer straży pożarnej. – Ponieważ padli jak uderzeni obuchem. Nigdy nie słyszałem o tak działającej cieczy, a pan?

Alan przecząco pokręcił głową.

– Ponadto – potwierdził – opar takiej lotnej cieczy już by się rozwiał. Co więcej, nie mógłby się pojawić wczoraj wieczorem i podziałać na jadących autobusem oraz pozostałymi pojazdami. Ten autobus miał być w Midwich o dziesiątej dwadzieścia pięć, a ja przyjechałem tą drogą kilka minut wcześniej. Wtedy wszystko z nią było w porządku. W istocie to musi być ten autobus, który widziałem, wjeżdżając do Oppley.

– Ciekawe, jaki to ma zasięg – myślał głośno oficer straży pożarnej. – Zapewne dość duży, inaczej widzielibyśmy tu pojazdy, które próbowały tędy przejechać z drugiej strony.

Wciąż z niepokojem spoglądali w kierunku Midwich. Za poprzewracanymi pojazdami droga była pusta, niewinnie wyglądająca i lekko lśniąca, aż do następnego zakrętu. Jak każda droga prawie sucha po przelotnym deszczyku. Teraz, gdy uniosła się poranna mgła, za żywopłotami widać było wieżę kościoła w Midwich. Jeśli pominąć pierwszy plan, w tym widoku nie było niczego tajemniczego.

Strażacy, wspomagani przez oddział Alana, nadal ściągali tych nieprzytomnych, których łatwo można było dosięgnąć. Najwyraźniej to dziwne przeżycie nie pozostawiło żadnych trwałych śladów. Każda z przyciągniętych ofiar natychmiast podnosiła się i zapewniała, że nie potrzebuje pomocy sanitariuszy – co niewątpliwie było prawdą.

Następnie trzeba było ściągnąć z szosy przewrócony traktor, żeby przyholować leżące dalej pojazdy i ich pasażerów.

Alan zostawił nadzorowanie tej pracy swojemu sierżantowi i oficerowi straży pożarnej, a sam przelazł przez bramę ogrodzenia. Biegnąca za nią polna ścieżka prowadziła na niewielkie wzniesienie, z którego miał lepszy widok na Midwich i okolicę. Dostrzegł kilka dachów, włącznie z Kyle Manor i The Grange, resztki murów zrujnowanego klasztoru i dwa pasma szarego dymu. Spokojna sceneria. Kiedy jednak przeszedł jeszcze kilka jardów, ujrzał cztery owce leżące nieruchomo na polu. Zaniepokoił się, choć teraz już uważał za mało prawdopodobne, by tym zwierzętom stała się jakaś krzywda, ale ten widok świadczył, że strefa rażenia jest większa, niż się spodziewał. Przyjrzał się tym stworzeniom oraz krajobrazowi i trochę dalej dostrzegł dwie leżące krowy. Obserwował je przez parę minut, żeby mieć pewność, że się nie ruszają, a potem odwrócił się i rozmyślając, wrócił na drogę.

– Sierżancie Decker! – zawołał.

Sierżant podszedł do niego i zasalutował.

– Sierżancie – rzekł Alan – chcę, żeby mi pan znalazł kanarka – w klatce, oczywiście.

Sierżant zamrugał.

– Hmm... kanarka, panie poruczniku? – spytał niepewnie.

– Cóż, sądzę, że równie dobrze może to być papużka falista. Pewnie znajdzie się taki ptak w Oppley. Niech pan pojedzie dżipem. I powie właścicielowi, że w razie czego otrzyma rekompensatę.

– Ja... hmm...

– Z życiem, sierżancie. Chcę mieć tu tego ptaszka jak najszybciej.

– Tak jest, panie poruczniku. Hmm... kanarka – upewnił się sierżant.

– Właśnie – potwierdził Alan.

Uświadomiłem sobie, że sunę po ziemi, twarzą w dół. Bardzo dziwne. Dopiero co biegłem do Janet, a w następnej chwili...

Nagle przestałem się przesuwać. Usiadłem i odkryłem, że otacza mnie tłum ludzi. Był wśród nich strażak odczepiający od mojego ubrania groźnie wyglądający hak. Sanitariusz karetki ze szpitala Świętego Jana przyglądał mi się z zawodowym optymizmem. Młodziutki szeregowiec trzymał wiadro z wapnem do bielenia, jego kolega mapę, a równie młody kapral długą żerdź z przywiązaną na jej końcu klatką z kanarkiem. Oficer miał wolne ręce. Tę nieco surrealistyczną kolekcję postaci uzupełniała Janet, wciąż leżąca tam, gdzie upadła. Wstałem w chwili, gdy strażak, odczepiwszy swój bosak, sięgnął nim ku niej i zaczepił hak o pasek jej prochowca. Zaczął ciągnąć i oczywiście pasek pękł, więc strażak musiał ponawiać próbę. Po chwili przyciągnął ją do nas i usiadła oburzona, z odzieniem w nieładzie.

– Dobrze się pan czuje, panie Gayford? – spytał ktoś, stając obok.

Obróciłem się i rozpoznałem w oficerze Alana Hughesa, którego kilkakrotnie spotkałem u Zellabych.

– Tak – odrzekłem. – Ale co się tu dzieje?

Nie odpowiedział, pomagając Janet wstać. Potem odwrócił się do kaprala.

– Lepiej wrócę teraz na szosę. A wy róbcie tu swoje, kapralu.

– Tak jest, panie poruczniku – powiedział kapral.

Przechylił pionowo trzymaną żerdź z wciąż zawieszoną na jej końcu klatką i ostrożnie wysunął ją naprzód. Ptaszek spadł ze swojego drążka i leżał nieruchomo na wysypanym piaskiem dnie klatki. Kapral ją wycofał. Ptaszek wydał lekko oburzony świergot i wskoczył z powrotem na drążek. Obserwujący to szeregowiec podszedł ze swoim wiadrem i wylał trochę wapna na trawę, a jego kolega zaznaczył miejsce na mapie. Potem wszyscy trzej odeszli kilka jardów w bok i powtórzyli całą operację.

Teraz Janet zapytała, co, do licha, się dzieje. Alan wyjaśnił jej, co dotychczas ustalono, i dodał:

– Najwidoczniej nie można się dostać do Midwich, dopóki to trwa. Chyba najlepiej będzie, jeśli pojedziecie do Trayne i zaczekacie tam na odwołanie alarmu.

Popatrzyliśmy na szeregowców i kaprala akurat w chwili, gdy ptak ponownie spadł z drążka, a potem spojrzeliśmy nad sielskimi polami w kierunku Midwich. Po tej nieudanej próbie dotarcia tam chyba nie mieliśmy innego wyjścia. Janet skinęła głową. Podziękowaliśmy młodemu Hughesowi i w końcu pożegnaliśmy się z nim, żeby wrócić do naszego samochodu.

W The Eagle Janet nalegała, żebyśmy na wszelki wypadek wynajęli pokój – a potem poszła na górę. Ja powędrowałem do baru.

Pomimo wczesnej pory było tam pełno ludzi, z nielicznymi wyjątkami obcych. Większość z nich rozmawiała z lekko teatralną emfazą w małych grupkach lub parach, chociaż kilka osób popijało samotnie i w zadumie. Z trudem przecisnąłem się do baru, a gdy wracałem z drinkiem w ręku, usłyszałem za plecami głos:

– A cóż ty, do licha, robisz w tym tłumie, Richardzie?

Ten głos wydawał się znajomy, tak samo jak twarz, którą ujrzałem, gdy się odwróciłem; dopiero po chwili jednak rozpoznałem mówiącego, ponieważ musiałem nie tylko odsunąć zasłonę wielu lat, ale wyobrazić go sobie w polowym mundurze zamiast tweedu, który miał teraz na sobie. Kiedy tego dokonałem, ucieszyłem się.

— Drogi Bernardzie! — wykrzyknąłem. — Co za spotkanie! Wydostańmy się z tego ścisku.

Wziąłem go pod rękę i zaciągnąłem do holu.

Na jego widok znów poczułem się młody: wróciłem myślami na plaże, w Ardeny, do Reichswaldu i nad Ren. To było miłe spotkanie. Posłałem kelnera po następne drinki. Dopiero po pół godzinie emocje nieco opadły, a wtedy...

— Nie odpowiedziałeś na moje pytanie — przypomniał, patrząc na mnie uważnie. — Nie miałem pojęcia, że się tym zająłeś.

— Czym? — spytałem.

Nieznacznym ruchem głowy wskazał bar.

— Dziennikarstwem — wyjaśnił.

— Och, to dziennikarze! Zastanawiałem się, co to za najazd.

Lekko zmrużył oko.

— Cóż, skoro nie jesteś jednym z nich, to co tu robisz? — spytał.

— Po prostu mieszkam w tych stronach — odparłem.

W tym momencie do holu zeszła Janet i przedstawiłem jej go.

— Janet, kochanie, to jest Bernard Westcott. Kapitan Westcott, kiedy służyliśmy razem, ale wiem, że awansował na majora, a teraz jest...?

— Pułkownikiem — wyznał i czarująco ją powitał.

— Miło mi — powiedziała Janet. — Wiele o panu słyszałam. Wiem, że tak się mówi, ale w tym wypadku to prawda.

Zaproponowała, żeby zjadł z nami lunch, ale powiedział, że ma coś do załatwienia i już jest spóźniony. Usłyszawszy nutę szczerego żalu w jego głosie, zaprosiła go na kolację.

— U nas w domu, jeśli zdołamy tam dotrzeć, albo tutaj, jeśli wciąż będziemy na wygnaniu.

— W domu? — zapytał Bernard.

— W Midwich — uściśliła. — To około ośmiu mil stąd.

Bernard był wyraźnie zaskoczony.

– Mieszkacie w Midwich? – zapytał, wodząc po nas wzrokiem. – Od jak dawna?

– Od około roku – powiedziałem. – Zwykle bylibyśmy tam o tej porze, ale…

Wyjaśniłem, w jaki sposób wylądowaliśmy w The Eagle.

Kiedy skończyłem, zastanawiał się chwilę, a potem najwyraźniej podjął decyzję. Zwrócił się do Janet.

– Pani Gayford, czy pogniewa się pani, jeśli porwę na trochę pani męża? To właśnie ta historia z Midwich sprowadziła mnie tutaj. Sądzę, że pani małżonek mógłby nam pomóc, gdyby zechciał.

– Wyjaśnić, co się stało, czy tak? – spytała Janet.

– No cóż, powiedzmy, że coś w tym rodzaju. Co ty na to? – zapytał mnie.

– Oczywiście, jeśli będę mógł. Chociaż nie wiem co… Powiedziałeś „nam"?

– Wyjaśnię ci po drodze – obiecał. – Naprawdę powinienem tam być już godzinę temu. Nie porywałbym go w taki sposób, gdyby to nie było ważne, pani Gayford. Da pani sobie tu radę sama?

Janet zapewniła go, że The Eagle to bezpieczne miejsce, i wstaliśmy.

– Jeszcze jedno – dodał, zanim ruszyliśmy. – Proszę nie pozwolić się nagabywać tym facetom z baru. I kazać ich wyrzucić, gdyby próbowali. Są trochę wkurzeni, od kiedy się dowiedzieli, że ich redakcje nie tkną tej sprawy z Midwich. Ani słowa o tym do żadnego z nich. Później to pani wyjaśnię.

– Bardzo dobrze. Przejęta, lecz milcząca, to cała ja – zapewniła go Janet na odchodne.

* * *

Punkt dowodzenia założono na drodze do Oppley, niedaleko obszaru objętego dziwnym zjawiskiem. Przy blokadzie policyjnej Bernard pokazał przepustkę, na której widok stojący tam na posterunku konstabl zasalutował i przeszliśmy niezatrzymywani. Siedzący samotnie w namiocie młodziutki oficer rozpromienił się, gdy nas zobaczył, i zdecydował, że skoro pułkownik Latcher udał się na obchód posterunków, to jego obowiązkiem jest zapoznanie nas z sytuacją.

Wyglądało na to, że ptaszki w klatkach już spełniły swoje zadanie i zostały zwrócone kochającym właścicielom, którzy niechętnie spełnili swój obywatelski obowiązek.

– Zapewne otrzymamy protesty od Towarzystwa Opieki nad Zwierzętami oraz pozwy o odszkodowania, jeśli nabawiły się zapalenia krtani lub innych chorób – powiedział kapitan – ale mamy pożądany rezultat.

Rozwinął mapę w dużej skali, ukazującą koło o średnicy około dwóch mil, z kościołem w Midwich znajdującym się trochę na południowy wschód od jego centrum.

– Tak to wygląda – wyjaśnił – i naszym zdaniem jest to koło, a nie pas. Mamy posterunek obserwacyjny na wieży kościoła w Oppley i na całym tym terenie nie zauważyliśmy żadnego ruchu. Ponadto na ulicy przed pubem leży paru gości, którzy też się nie ruszają. Natomiast nadal nie wiemy, z czym mamy do czynienia. Ustaliliśmy, że to coś jest statyczne, niewidoczne, bezwonne, niewykrywalne przez radar czy sonar, błyskawicznie działa na ssaki, ptaki, gady oraz owady i wydaje się nie pozostawiać żadnych objawów ekspozycji – przynajmniej natychmiastowych, choć naturalnie pasażerowie autobusu i inne osoby, które przez jakiś czas pozostawały na tym terenie, są rozdrażnione. Jednak tylko tyle wiemy. Prawdę mówiąc, wciąż nie mamy pojęcia, co to naprawdę jest.

Bernard zadał mu kilka pytań, ale już niewiele więcej się

dowiedział, po czym ruszyliśmy na poszukiwanie pułkownika Latchera. Wkrótce znaleźliśmy go w towarzystwie jakiegoś starszego pana, który okazał się komendantem policji w Winshire. Obaj, wraz z kilkoma młodszymi oficerami, stali na niewielkim wzniesieniu, spoglądając na okolicę. Cała ta grupa wyglądała jak z osiemnastowiecznej ryciny przedstawiającej generałów obserwujących niepomyślnie przebiegającą bitwę – tylko żadna się tu nie toczyła. Bernard przedstawił siebie i mnie. Pułkownik przyjrzał mu się uważnie.

– Ach! – powiedział. – Ach, tak. To pan powiedział mi przez telefon, że trzeba wyciszyć tę sprawę?

Zanim Bernard zdążył odpowiedzieć, wtrącił się komendant:

– Wyciszyć! Wyciszyć, akurat. Obszar o średnicy dwóch mil całkowicie opanowany przez to coś, a pan chciałby wyciszyć sprawę.

– Takie otrzymaliśmy polecenie – rzekł Bernard. – Agencja Bezpieczeństwa...

– A jak oni to sobie wyobrażają, do diabła?

Pułkownik Latcher mu przerwał.

– Zrobiliśmy, co mogliśmy, żeby to przedstawić jako niespodziewane ćwiczenia taktyczne. Trochę to naciągane, ale zawsze jakieś wyjaśnienie. Coś trzeba było powiedzieć. Problem w tym, że być może to jakieś nasze własne urządzenie wymknęło się spod kontroli. Tyle jest dziś tych cholernie tajnych badań, że niczego nie można być pewnym. Nie wiemy, co ma druga strona; nie wiemy nawet, co my na nich mamy. Wszyscy ci naukowcy w tajnych laboratoriach wykańczają zawodowego żołnierza. Nie można nadążyć za czymś, o czym nic się nie wie. Armia wkrótce będzie się składała z samych techników i drutów.

– Agencje informacyjne już zwęszyły sensację – pożalił się komendant policji. – Przepędziliśmy stąd część dziennikarzy.

Jednak pan wie, jacy oni są. Będą się tu kręcić, wtykać nosy i trzeba będzie ich przeganiać. Jak mamy ich uciszyć?

– Przynajmniej o to nie musi się pan martwić – powiedział mu Bernard. – Ministerstwo Spraw Wewnętrznych wydało już w tej sprawie odpowiednie zarządzenie. Dziennikarze są bardzo niezadowoleni. Myślę jednak, że usłuchają. Wszystko zależy od tego, czy sprawa będzie wystarczająco sensacyjna, żeby ryzykować kłopoty.

– Hmm – mruknął pułkownik Latcher, znów spoglądając na senną scenerię. – Ja sądzę, że to zależy od tego, czy zdaniem redakcji ta śpiąca królewna okaże się sensacją czy nudziarą.

W ciągu paru następnych godzin pojawiło się całe mnóstwo osób najwyraźniej reprezentujących różne instytucje, cywilne i wojskowe. Przy drodze z Oppley rozstawiono duży namiot i o godzinie 16.30 zwołano w nim konferencję prasową. Pułkownik Latcher przedstawił podczas niej aktualną sytuację. Nie trwało to długo. Właśnie kończył, gdy zjawił się wyraźnie rozgniewany kapitan lotnictwa. Podszedł do stołu i rzucił nań dużą fotografię lotniczą.

– Macie, panowie – rzekł ponuro. – To nas kosztowało dwóch dobrych ludzi w dobrym samolocie i mieliśmy szczęście, że nie straciliśmy drugiego. Mam nadzieję, że to jest tego warte.

Stłoczyliśmy się wokół stołu, żeby przyjrzeć się fotografii i porównać ją z mapą.

– Co to takiego? – zapytał major wywiadu, pokazując palcem.

Wskazany przez niego obiekt był owalny, białawy, i jak można było sądzić po szarym cieniu, kształtem przypominał odwróconą miskę. Komendant policji pochylił się, żeby dokładniej przyjrzeć się fotografii.

— Nie mam pojęcia – przyznał. – Wygląda jak jakiś dziwny budynek, ale to niemożliwe. Niecały tydzień temu osobiście byłem przy ruinach klasztoru i nie widziałem tam niczego takiego; ponadto ten teren jest własnością Brytyjskiego Stowarzyszenia Ochrony Zabytków. Oni nie prowadzą prac budowlanych, tylko konserwacyjne.

Jeden z pozostałych przeniósł wzrok ze zdjęcia na mapę i z powrotem.

— Cokolwiek to jest, znajduje się niemal w geometrycznym środku objętego tym zdarzeniem terenu – zauważył. – Jeśli nie było tam tego kilka dni temu, to musiało wylądować tam teraz.

— Chyba że to stóg siana nakryty wyblakłą plandeką – podsunął ktoś.

Komendant policji prychnął.

— Spójrz na wielkość, człowieku, i na kształt. Musiałoby to być co najmniej tuzin stogów.

— Zatem co to, do diabła, jest? – dociekał major.

Kolejno oglądali to przez lupę.

— Nie mogliście zrobić zdjęcia z mniejszej wysokości? – zapytał major.

— Próbowaliśmy i straciliśmy przy tym samolot – powiedział mu krótko kapitan.

— Jak wysoko sięga strefa działania tego... czegoś? – spytał ktoś.

Kapitan lotnictwa wzruszył ramionami.

— Możemy to ustalić, tylko przelatując przez tę strefę – oznajmił. – To zdjęcie – dodał stukając w nie palcem – zostało zrobione z wysokości dziesięciu tysięcy stóp. Załoga nie odczuła żadnych skutków.

Pułkownik Latcher chrząknął.

— Dwaj moi oficerowie sugerują, że ta strefa może mieć kształt półkuli – napomknął.

— Być może — przyznał kapitan lotnictwa — ale równie dobrze może być romboidalna czy dwunastościenna.

— O ile wiem — ciągnął spokojnie pułkownik — obserwowali wlatujące w nią ptaki, żeby ustalić, w którym momencie zaczynają spadać. Twierdzą, że granica tej strefy nie wznosi się pionowo jak ściana, tak więc zdecydowanie nie ma cylindrycznego kształtu. Jest lekko wygięta. Z czego wywnioskowali, że musi to być kopuła lub stożek. Mówią, że dowody sugerują półkulę, ale ich obserwacje objęły zbyt mały segment dużego łuku, aby mogli być tego pewni.

— No cóż, to pierwsza konkretna informacja, jaką usłyszeliśmy — przyznał kapitan. Głośno myślał: — Jeśli mają rację i jest to półkula, to w najwyższym punkcie powinna mieć około pięciu tysięcy stóp wysokości. Zapewne nie mieli żadnego pomysłu, jak mamy to ustalić, nie tracąc następnego samolotu?

— Prawdę mówiąc — rzekł niepewnie pułkownik Latcher — jeden z nich miał pewien pomysł. Sugerował, że gdyby powoli spuścić z helikoptera zawieszoną na linie klatkę z kanarkiem, to... No cóż, wiem, że to brzmi trochę...

— Wcale nie — rzekł kapitan lotnictwa. — To niezły pomysł. Pewnie tego samego faceta, który ustalił granicę strefy.

— Owszem. — Pułkownik Latcher skinął głową.

— Odkrył defensywne zastosowanie ornitologii — zauważył kapitan lotnictwa. — Sądzę, że zapewne ulepszymy jego pomysł, ale jesteśmy wdzięczni za wskazówki. Dziś jednak już na to za późno. Jutro, z samego rana, kiedy jest najlepsze boczne światło, zrobimy zdjęcia najniższej bezpiecznej wysokości.

Major wywiadu przerwał milczenie.

— Może bomby — rzekł z namysłem. — Zapewne rozpryskowe.

— Bomby? — spytał kapitan lotnictwa, unosząc brwi.

— Nie zaszkodziłoby mieć kilka na podorędziu. Nigdy nie

wiadomo, co wymyśli Iwan. Może dobrze byłoby zrzucić kilka. Nie pozwolić temu czemuś uciec. Uszkodzić, żebyśmy mogli się temu dobrze przyjrzeć.

– Trochę drastyczne na tym etapie – zaoponował komendant policji. – Chcę powiedzieć, że lepiej byłoby przejąć to nietknięte, jeśli się da.

– Zapewne – przyznał major – ale dotychczas tylko pozwalamy temu czemuś robić to, po co tu przybyło, i powstrzymywać nas tą jego nieznaną siłą.

– Nie rozumiem, w jakim celu miałoby to przybyć akurat do Midwich – wtrącił inny oficer – dlatego podejrzewam, że lądowało awaryjnie i używa tej zapory, aby zapobiec wszelkim próbom uniemożliwienia mu dokonania napraw.

– Jest tutaj The Grange… – zauważył ostrożnie ktoś z zebranych.

– Tak czy inaczej, im prędzej otrzymamy polecenie unieszkodliwienia tego, tym lepiej – rzekł major. – Nie powinno naruszać naszej przestrzeni powietrznej. Oczywiście teraz przede wszystkim nie można pozwolić mu uciec. To dla nas zbyt interesujący obiekt. Nie tylko on sam, ale także wytwarzane przez niego pole mogą być bardzo przydatne. Zalecałbym podjęcie wszelkich możliwych działań w celu ich zdobycia, w nienaruszonym stanie, jeśli to możliwe, albo uszkodzonych, w razie konieczności.

Rozpoczęła się długa dyskusja, która oczywiście niewiele dała, ponieważ najwyraźniej niemal wszyscy obecni mogli tylko obserwować i składać raporty. O ile pamiętam, zdecydowano jedynie, że helikopter co godzinę będzie zrzucał flary umożliwiające obserwację, a rano spróbuje wykonać więcej zdjęć terenu; poza tym do końca narady nie uzgodniono niczego konkretnego.

Nie miałem pojęcia, po co mnie tam zabrano, a także dlaczego znalazł się tam Bernard, ponieważ ani razu nie zabrał głosu podczas narady. Kiedy jechaliśmy z powrotem, zapytałem:

– Czy popełnię nietakt, pytając, jaka jest w tym twoja rola?

– Skądże. Ta sprawa wchodzi w zakres moich zawodowych zainteresowań.

– The Grange? – domyśliłem się.

– Tak. The Grange leży w obszarze moich kompetencji i oczywiście bardzo nas interesują wszystkie niezwykłe wydarzenia w jego sąsiedztwie. To chyba można nazwać niezwykłym, nie sądzisz?

Ta liczba mnoga, jak już wywnioskowałem z jego wypowiedzi przed naradą, zapewne oznaczała wywiad wojskowy w ogóle lub jakiś jego konkretny wydział.

– Myślałem, że takimi sprawami zajmuje się oddział specjalny policji.

– Ta sprawa ma różne aspekty – rzekł wymijająco i zmienił temat.

Udało nam się znaleźć mu pokój w The Eagle i zjedliśmy obiad we troje. Miałem nadzieję, że po obiedzie spełni swoją obietnicę i wszystko wyjaśni, ale chociaż poruszaliśmy różne tematy, włącznie z Midwich, wyraźnie unikał jakiejkolwiek wzmianki o swoim zawodowym zainteresowaniu tą sprawą. Pomimo to spędziliśmy przyjemny wieczór, po którym zacząłem się zastanawiać, dlaczego pozwoliłem, by znikł z mojego życia.

Dwukrotnie w trakcie tego wieczoru dzwoniłem na policję w Trayne, aby spytać, czy sytuacja w Midwich uległa jakiejś zmianie, i za każdym razem odpowiadali, że nie. Po drugim razie zdecydowaliśmy, że nie ma na co czekać i po ostatniej kolejce udaliśmy się na spoczynek.

– Miły człowiek – powiedziała Janet, gdy znaleźliśmy się w naszym pokoju. – Obawiałam się, że to będzie wieczór wspomnień starych kumpli, potwornie nudny dla żon, ale on do tego nie dopuścił. Po co zabrał cię ze sobą dziś po południu?

– Właśnie to mnie dziwi – wyznałem. – Chyba później tego pożałował i nabrał wody w usta.

– To naprawdę bardzo dziwne – orzekła Janet, jakby znów to sobie uświadomiła. – Czy nie miał nic do powiedzenia na temat tego, co to właściwie jest?

– Ani on, ani nikt z pozostałych – zapewniłem ją. – Wydaje się, że wiedzą tylko to, czego dowiedzieli się od nas – że to coś atakuje niespodziewanie i nie pozostawia żadnych śladów.

– Zawsze to jakaś pociecha. Miejmy nadzieję, że nikt w wiosce nie ucierpiał bardziej od nas – powiedziała.

Kiedy my spaliśmy, rankiem 28 września dyżurny wojskowy meteorolog zapowiedział, że przygruntowa mgła w Midwich podniesie się wcześnie, i dwuosobowa załoga wsiadła do helikoptera. Potem podano im drucianą klatkę z dwiema rześkimi, choć zaniepokojonymi fretkami. Po chwili maszyna z głośnym warkotem uniosła się w powietrze.

– Przewidują – rzekł pilot – że pułap sześciu tysięcy stóp będzie zupełnie bezpieczny, więc zaczniemy od szczęśliwej siódemki. Jeśli to się sprawdzi, powoli obniżymy lot.

Obserwator przygotował sprzęt i zaczął drażnić fretki, dopóki pilot mu nie powiedział:

– Jesteśmy. Możesz je już spuścić i wykonamy próbny przelot na siedmiu tysiącach.

Klatkę wystawiono za drzwi. Obserwator rozwinął trzysta stóp linki. Helikopter zawrócił i pilot poinformował bazę, że zaraz wykona próbny przelot nad Midwich. Obserwator leżał na podłodze, obserwując fretki przez lornetkę.

W tym momencie miały się całkiem dobrze: biegały i baraszkowały w klatce. Po chwili oderwał się od nich i skierował lornetkę na wioskę.

– Hej, szefie! – zawołał.

– No?

– Ten obiekt, który mieliśmy sfotografować koło klasztoru.

– Co z nim?

– No cóż, albo to był miraż, albo zwiał – poinformował go obserwator.

ROZDZIAŁ 5

Midwich odżywa

Niemal w tym samym momencie, w którym obserwator dokonał tego odkrycia, posterunek na drodze ze Stouch do Midwich przeprowadzał rutynowy test. Dowodzący sierżant rzucił kostkę cukru za białą linię namalowaną wapnem na szosie i patrzył, jak trzymany na długiej smyczy pies skoczył za przysmakiem. Pies złapał i schrupał kostkę cukru.

Sierżant przez chwilę uważnie przyglądał się psu, a potem sam podszedł do linii. Zawahał się, ale ją przekroczył. Nic się nie stało. Z rosnącą pewnością siebie przeszedł jeszcze kilka kroków. Stadko gawronów z wrzaskiem przeleciało mu nad głową. Patrzył, jak miarowo machając skrzydłami, przelatują nad Midwich.

– Hej, ty tam, sygnalisto – zawołał. – Zawiadom Oppley. Strefa zagrożenia zmniejszona, prawdopodobnie do zera. Potwierdzimy po następnych testach.

* * *

Kilka minut wcześniej w Kyle Manor Gordon Zellaby poruszył się z trudem i wydał z siebie zduszony jęk. W końcu zdał sobie sprawę z tego, że leży na podłodze, a ponadto, że w pokoju, w którym przed chwilą było tak jasno i ciepło, może nawet odrobinę za ciepło, teraz panują mrok i wilgotny ziąb.

Zadrżał. Chyba jeszcze nigdy tak nie zmarzł. Boleśnie odczuwał ten chłód każdym włóknem swojego ciała. W ciemności usłyszał szmer – ktoś się tam poruszył. Ferrelyn powiedziała drżącym głosem:

– Co się stało...? Tato...? Angela...? Gdzie jesteście?

Zellaby otworzył obolałe i oporne usta.

– Jestem tutaj, p-prawie zamarzłem. Angela, kochanie...?

– Jestem tutaj, Gordonie – usłyszał jej niepewny głos tuż za plecami.

Wyciągnął rękę, która natknęła się na coś, lecz palce miał zbyt zdrętwiałe, żeby rozpoznać to dotykiem.

Ktoś przeszedł przez pokój.

– Rety, ale zesztywniałam! Ojej! Och! – narzekała Ferrelyn. – Au! Zupełnie nie czuję nóg. – Na moment znieruchomiała. – Co to za brzęk?

– T-to j-ja szczękam z-zębami – wykrztusił Zellaby.

Z ciemności dobiegły kolejne szmery, a po nich odgłos niepewnych kroków. Później zabrzęczały kółka zasłon i pokój zalało szare światło.

Zellaby spojrzał na kominek i wytrzeszczył oczy ze zdumienia. Dopiero co położył na palenisku nowe polano, a już została z niego garstka popiołu. Angela, siedząca na dywanie metr od niego, i Ferrelyn przy oknie też gapiły się na kominek.

– Co, do licha...? – zaczęła Ferrelyn.

– T-to ten szampan? – podsunął Zellaby.

– Och, daj spokój, tato!

Pomimo protestów wszystkich stawów Zellaby spróbował

wstać. Odkrył, że to zbyt bolesne i postanowił jeszcze przez chwilę nie ruszać się z miejsca. Ferrelyn niepewnym krokiem podeszła do kominka. Wyciągnęła rękę i stała tak, dygocząc.

– Chyba wystygł – oznajmiła.

Spróbowała podnieść leżącego na fotelu „The Timesa", ale palce zbyt jej zesztywniały, by chwycić gazetę. Popatrzyła na nią z przygnębieniem, a potem jakoś zdołała ją zgnieść sztywnymi rękami i wepchnąć do kominka. Wciąż używając obu rąk, z trudem wyjęła z koszyka kilka kawałków drewna i położyła je na gazecie.

Nieudane próby zapalenia zapałki niemal doprowadziły ją do płaczu.

– Palce nie chcą mnie słuchać – jęknęła z rozpaczą.

W końcu zapałki wysypały się z pudełka. Jakoś zdołała zapalić jedną, pocierając ją pudełkiem. Przesunęła wszystkie bliżej kawałka papieru sterczącego z paleniska. Wreszcie on też się zajął i płomień wykwitł jak cudowny kwiat.

Angela wstała i chwiejnie podeszła bliżej. Zellaby zrobił to na czworakach. Drewno na kominku płonęło z trzaskiem. Kucnęli przy nim, szukając ciepła. Zdrętwiałe palce ich wyciągniętych do ognia dłoni zaczęły mrowić. Po chwili Zellaby zaczął dochodzić do siebie.

– Dziwne – zauważył, wciąż lekko szczękając zębami – że dopiero teraz, w podeszłym wieku, doceniłem głęboki sens wiary czcicieli ognia.

Na drogach wiodących do Oppley i Stouch słychać było warkot uruchamianych i rozgrzewanych silników. W końcu dwie kolumny karetek, wozów straży pożarnej, radiowozów oraz wojskowych samochodów terenowych i ciężarówek ruszyły w kierunku Midwich. Spotkały się w środku wsi. Cywilne pojazdy się zatrzymały, a ich obsługa wysiadła. Większość wojskowych ciężarówek pojechała po Hickham Lane, wiodącej do klasztoru. Mały czerwony samochód, nienależący do żadnej z tych dwóch grup, skręcił i podskakując na wybojach, wjechał na żwirowy podjazd Kyle Manor, gdzie zatrzymał się przy frontowych drzwiach.

Alan Hughes wpadł do gabinetu Zellaby'ego, wyciągnął Ferrelyn z grupki skulonej przy kominku i mocno przytulił.

– Kochanie! – wykrzyknął zdyszany. – Kochanie! Nic ci się nie stało?

– Kochany! – wykrztusiła Ferrelyn zamiast odpowiedzi.

Po stosownej chwili Gordon Zellaby napomknął:

– My również jesteśmy cali i zdrowi, chociaż nieco oszołomieni. No i trochę zmarznięci. Myślisz, że...

Alan dopiero teraz zdał sobie sprawę z ich obecności.

– Co... – zaczął i urwał, gdy zapaliły się światła. – Doskonale – rzekł. – Zaraz będą gorące napoje.

I znikł, zabierając ze sobą Ferrelyn.

– „Zaraz będą gorące napoje" – mrukliwie powtórzył Zellaby. – Ileż poezji w tym krótkim zdaniu!

A kiedy my zeszliśmy na śniadanie osiem mil od nich, powiadomiono nas, że pułkownik Westcott opuścił zajazd parę godzin wcześniej, a Midwich już się prawie obudziło i życie tam wraca do normy.

ROZDZIAŁ 6

Życie w Midwich wraca do normy

Na drodze ze Stouch wciąż był policyjny posterunek kontrolny, lecz jako stali mieszkańcy zostaliśmy natychmiast przepuszczeni i minąwszy okoliczne pola, które wyglądały tak samo jak zawsze, już niezatrzymywani dojechaliśmy do naszego domu.

Wcześniej zastanawialiśmy się, co zastaniemy po powrocie, ale okazało się, że niepotrzebnie się martwiliśmy. Dom był nietknięty i dokładnie w takim stanie, w jakim go zostawiliśmy. Weszliśmy i rozgościliśmy się tak, jak zamierzaliśmy poprzedniego dnia; wszystko było w porządku oprócz mleka w lodówce, które się skwasiło z powodu przerwy w dostawie prądu. Tak więc zaledwie pół godziny po powrocie wydarzenia poprzedniego dnia zaczęły nam się zdawać nierealne, a kiedy wyszliśmy porozmawiać z sąsiadami, odkryliśmy, że bezpośredni uczestnicy tych zdarzeń mieli takie same, tylko jeszcze silniejsze wrażenie.

W czym nie było niczego zaskakującego, ponieważ – jak zauważył pan Zellaby – o całej tej sprawie wiedzieli tylko tyle, że wieczorem nie dotarli do łóżek, a rano ocknęli się mocno zziębnięci; resztę znali tylko z opowieści innych osób. Musieli uwierzyć, że stracili cały dzień, gdyż było raczej niemożliwe, by cała reszta świata myliła się co do tego; jednak dla niego nie było to interesujące doświadczenie, gdyż nieodzowną cechą zainteresowania jest świadomość. Dlatego proponował, by zignorować całą tę sprawę, i oznajmił, że postara się zapomnieć o tym, że ukradziono mu jeden dzień życia, które jego zdaniem mija zbyt szybko.

Takie podejście wówczas przyszło wszystkim zadziwiająco łatwo, gdyż było bardzo wątpliwe, czy ta afera – nawet niezamieciona pod dywan miotłą ustawy o tajemnicy państwowej – na tym etapie mogłaby stać się sensacyjną wiadomością prasową. Jako pożywka pachniała bardzo obiecująco, ale okazała się mało treściwa. Wprawdzie łącznie było jedenaście ofiar i coś dałoby się z tego upichcić, ale nawet temu brakowało szczegółów, które mogły podekscytować zblazowanych czytelników, a relacje ocalałych były żałośnie wyzute z dramatyzmu, ponieważ nie mieli nic do powiedzenia poza tym, że ocknęli się zmarznięci.

Tak więc w zaskakująco spokojnej atmosferze mogliśmy oszacować straty, opatrzyć rany i ogólnie rzecz biorąc, dojść do siebie po przeżyciach, które później nazwano Komą.

Spośród jedenastu ofiar śmiertelnych: pan William Trunk, robotnik rolny, jego żona i synek zginęli w pożarze swego domu. Stagfieldowie, małżeństwo w podeszłym wieku, też spłonęli wraz ze swoim domem. Innego robotnika rolnego, Herberta Flagga, znaleziono zamarzniętego w bardzo niewielkiej, co trudno było wyjaśnić, odległości od domu pani Harriman, której mąż w tym czasie pracował w swojej piekarni. Harry Crankhart, jeden z dwóch mężczyzn, których obserwatorzy z wieży kościoła w Oppley zauważyli leżących przed gospodą The Scythe and

Stone, również zmarł z wychłodzenia. Wszystkie cztery pozostałe ofiary były osobami w podeszłym wieku, u których antybiotyki nie zdołały powstrzymać ostrego zapalenia płuc.

Pan Leebody wygłosił dziękczynne kazanie do wszystkich pozostałych podczas niezwykle uroczystej niedzielnej mszy, która wraz z pogrzebem ostatniej z ofiar utrwaliła nierealną aurę całej tej sprawy.

To prawda, że przez tydzień lub dłużej widywaliśmy sporo żołnierzy oraz wiele przyjeżdżających i odjeżdżających służbowych samochodów, lecz niezbyt interesowała ich wieś, więc w niewielkim stopniu zakłócało to jej spokój. Najwyraźniej całą uwagę skupili na polu w pobliżu ruin klasztoru, gdzie postawiono wartownika, który miał pilnować dużego wgłębienia w ziemi, sugerującego, że przez jakiś czas spoczywał tam jakiś masywny obiekt. Inżynierowie dokonywali pomiarów, sporządzali szkice i robili zdjęcia. Później cały teren przemierzali tam i z powrotem saperzy różnych specjalności z wykrywaczami metalu, licznikami Geigera i innymi wyrafinowanymi urządzeniami. Potem nagle wojsko straciło zainteresowanie całą sprawą i się wycofało.

Badania w The Grange trwały trochę dłużej, a działał tam między innymi Bernard Westcott. Odwiedził nas kilkakrotnie, ale nie powiedział nam, co się tam dzieje, a my nie pytaliśmy. Wiedzieliśmy tyle samo co pozostali mieszkańcy wioski – że sprawdzają, czy grozi nam jakieś niebezpieczeństwo. Aż do dnia, w którym zakończono badania i oznajmił nam, że nazajutrz wraca do Londynu, niewiele nam mówił o Komie i jej konsekwencjach. Natomiast tamtego wieczoru po namyśle powiedział:

– Mam pewną propozycję dla was dwojga. Jeśli zechcecie jej wysłuchać.

– Wysłuchamy i zdecydujemy – odparłem.

– Zasadniczo jest tak: uważamy, że przez pewien czas powinniśmy mieć tę wioskę na oku i wiedzieć, co się tu dzieje.

Moglibyśmy umieścić tu naszego człowieka, żeby nas informował o wszystkim, ale jest kilka powodów, żeby tego nie robić. Po pierwsze, musiałby tu zaczynać od zera; a trzeba czasu, żeby ktoś obcy wrósł w życie wioski. Po drugie, wątpimy, czy obecnie moglibyśmy uzasadnić oddelegowanie tutaj dobrego pracownika na cały etat – ponieważ wątpimy również, czy ktoś pracujący dorywczo cokolwiek by zdziałał. Byłoby o wiele lepiej, gdybyśmy mieli tu kogoś zaufanego, kto już zna tę wieś oraz jej mieszkańców, i informowałby nas o ewentualnych zajściach. Co wy na to?

Zastanawiałem się chwilę.

– Trudno powiedzieć tak od razu – odrzekłem. – Chyba wszystko zależy od tego, co obejmowałaby taka współpraca.

Spojrzałem na Janet. Powiedziała chłodno:

– To brzmi tak, jakbyśmy mieli szpiegować naszych przyjaciół i sąsiadów. Sądzę, że odpowiedniejszy byłby zawodowy szpieg.

– Tu jest nasz dom – poparłem ją.

Skinął głową, jakby takiej reakcji się spodziewał.

– Uważacie się za członków tej społeczności? – zapytał.

– Staramy się i myślę, że zaczynamy nimi być – odrzekłem.

Znów kiwnął głową.

– To dobrze – dobrze, że czujecie się odpowiedzialni za ich bezpieczeństwo. Właśnie tego potrzebujemy. Kogoś, kto miałby na sercu dobro społeczności i pilnie wszystko obserwował.

– Nie rozumiem dlaczego. Wydaje się, że bez tego wszystko przebiega tu normalnie od wielu wieków... Czy może powinienem powiedzieć, że dotychczas starania mieszkańców były zupełnie wystarczające.

– To prawda – przyznał. – Tak było – dotychczas. Teraz jednak ta wieś potrzebuje ochrony i ją otrzyma. Uważam, że zapewnimy jej najlepszą ochronę, jeśli będziemy mieli aktualne informacje o tym, co się tu dzieje.

– Jakiego rodzaju ochronę? I przed czym?

– Obecnie głównie przed wścibstwem – odrzekł. – Mój drogi, z pewnością nie uważasz za przypadek tego, że wiadomość o Komie w Midwich nie znalazła się na pierwszych stronach gazet jeszcze tego samego dnia? Ani tego, że później nie zjawił się tu tłum dziennikarzy nękających wszystkich pytaniami?

– Oczywiście, że nie uważam – zapewniłem. – Naturalnie wiem, że to kwestia bezpieczeństwa narodowego – sam mi to powiedziałeś – więc wcale mnie to nie dziwi. Nie mam pojęcia, co się dzieje w The Grange, ale wiem, że to ściśle tajne.

– Nie tylko The Grange zapadło w śpiączkę – przypomniał – ale wszyscy w promieniu mili.

– Jednak The Grange też. To ten ośrodek musiał być głównym celem. Bardzo możliwe, że strefa działania – przez cokolwiek wytworzona – musi mieć co najmniej jedną milę średnicy, albo sprawcy uważali, że taki powinien być margines bezpieczeństwa.

– Czy tak sądzą mieszkańcy wioski? – zapytał.

– Większość nich – z kilkoma wyjątkami.

– Właśnie o takich rzeczach chcę wiedzieć. Wszyscy łączą to z The Grange, prawda?

– Naturalnie. A co innego mogło spowodować takie zdarzenie tutaj, w Midwich?

– No cóż, a gdybym ci powiedział, że mam powód wierzyć, że ośrodek nie miał z tym nic wspólnego? I że nasze bardzo dyskretne śledztwo jedynie to potwierdziło?

– Przecież wtedy całe to zdarzenie byłoby zupełnie bezsensowne! – zaprotestowałem.

– Niewątpliwie – tak samo jak każdy inny wypadek można uważać za bezsensowny.

– Wypadek? Masz na myśli przymusowe lądowanie?

Bernard wzruszył ramionami.

– Tego nie wiem. Być może to coś przypadkiem wylądowało akurat tam, gdzie znajduje się The Grange. Jednak chodzi mi o to, że niemal wszyscy w tej wiosce ulegli działaniu jakiejś dziwnej i zupełnie nieznanej siły. A teraz wraz z wszystkimi innymi mieszkańcami wioski zakładacie, że już po wszystkim i sprawa jest zamknięta. Dlaczego?

Oboje z Janet spojrzeliśmy na niego ze zdziwieniem.

– No cóż – powiedziała – było i minęło, więc czemu nie?

– Coś się tu zjawiło, nic nie zrobiło, po czym znikło, nie pozostawiając żadnych śladów?

– Tego nie wiem. Żadnych widocznych śladów – oprócz jedenastu śmiertelnych ofiar, które na szczęście nie cierpiały – odparła Janet.

– Żadnych widocznych śladów – powtórzył. – Co w dzisiejszych czasach niewiele oznacza. Na przykład mogliście otrzymać bardzo dużą dawkę promieni rentgenowskich, promieni gamma lub innych, bez natychmiastowo widocznych skutków. Nie obawiajcie się, podałem to tylko jako przykład. Gdyby było tu takie promieniowanie, wykrylibyśmy je. Nie wykryliśmy. Jednak było tu coś, czego nie jesteśmy w stanie wykryć. Coś zupełnie nam nieznanego i potrafiącego wywołać... powiedzmy, sztuczny sen. To zupełnie niezrozumiale i bardzo niepokojące zjawisko. Czy naprawdę uważacie, że można beztrosko zakładać, że coś takiego może się zdarzyć i tak po prostu przeminąć bez żadnych następstw? Oczywiście skutki tego mogą równie dobrze być nie poważniejsze niż po zażyciu tabletki aspiryny, ale chyba powinniśmy bacznie obserwować bieg wydarzeń, żeby sprawdzić, czy tak jest czy nie?

Opór Janet osłabł.

– To oznacza, że jedno z nas lub ktoś inny ma to dla was robić. Obserwować i notować ewentualne skutki?

– Zależy mi na wiarygodnym źródle informacji o tym, jak wygląda sytuacja w Midwich. Chcę mieć bieżące i aktualne wiadomości o wszystkim, co się tu dzieje, żeby w razie potrzeby móc w porę podjąć odpowiednie kroki.

– Przedstawiasz to jako coś w rodzaju pracy społecznej – zauważyła Janet.

– Bo w pewnym sensie nią jest. Chcę mieć regularne raporty o stanie zdrowia, psychiki i morale mieszkańców Midwich, żeby mieć na nich ojcowskie oko. To nie jest żadne szpiegowanie. Potrzebne mi te informacje, żebym w razie konieczności mógł skutecznie działać w interesie Midwich.

Janet przez chwilę bacznie mu się przyglądała.

– A co twoim zdaniem może się tu zdarzyć, Bernardzie? – spytała.

– Czy złożyłbym wam taką propozycję, gdybym to wiedział? – odparł. – Podejmujemy środki ostrożności. Nie wiemy, czym to jest i co robi. Bez dowodów jego działania nie możemy objąć Midwich kwarantanną. Możemy jednak szukać tych dowodów. A właściwie wy możecie. Co wy na to?

– Sam nie wiem – powiedziałem. – Daj nam trochę czasu do namysłu. Zawiadomię cię o naszej decyzji.

– Dobrze – rzekł i zaczęliśmy rozmawiać o innych sprawach.

W ciągu kilku następnych dni kilkakrotnie dyskutowaliśmy o tym z Janet. Jej nastawienie powoli się zmieniało.

– Jestem pewna, że on coś ukrywa – powiedziała. – Tylko co?

Nie wiedziałem. Zapytała:

– Przecież nie prosi nas, żebyśmy obserwowali jakąś konkretną osobę, prawda?

Przyznałem, że nie. Spytała:

– To właściwie niczym by się nie różniło od tego, co robi lekarz epidemiolog, prawda?

Istotnie, niczym – pomyślałem. W końcu usłyszałem:

– Jeśli my tego nie zrobimy, to będzie musiał szukać kogoś innego. Naprawdę nie wiem, kogo mógłby wybrać w naszej wiosce. Gdyby musiał wprowadzić tu kogoś obcego, byłoby to niezręczne i nieskuteczne, czyż nie?

Też tak uważałem.

Tak więc, z uwagi na strategiczną pozycję panny Ogle na poczcie, zamiast zatelefonować, zawiadomiłem Bernarda listownie, że widzimy możliwość współpracy, jeśli uzgodnimy kilka szczegółów i taką samą drogą otrzymałem propozycję spotkania podczas naszego najbliższego pobytu w Londynie. W liście wcale nas nie ponaglał, a jedynie prosił, żebyśmy tymczasem bacznie obserwowali, co się dzieje.

Obserwowaliśmy. Jednak niewiele się działo. Dwa tygodnie po Komie życie w Midwich płynęło równie spokojnie jak zawsze.

Ci nieliczni, którzy uważali, że ustawa o tajemnicy państwowej odebrała im szansę zdobycia ogólnokrajowej sławy i zobaczenia swoich zdjęć w gazetach, pogodzili się z tym; pozostali byli zadowoleni z tego, że ich życie nie zostało zakłócone w większym stopniu. Podzielone były także zdania co do The Grange i pracujących tam ludzi. Zwolennicy jednej szkoły myślenia utrzymywali, że ośrodek musiał być w jakiś sposób związany z tym dziwnym zjawiskiem, do którego nigdy by nie doszło, gdyby nie prowadzone tam tajemnicze badania. Wyznawcy drugiej uważali, że ośrodek wywarł zbawienny wpływ.

Pan Arthur Crimm, oficer Orderu Imperium Brytyjskiego, był lokatorem jednego z domków Zellaby'ego, który – napotkawszy go pewnego dnia – wyraził zdanie większości mieszkańców, że Midwich ma dług wdzięczności wobec naukowców.

– Gdyby nie wasza obecność i związane z tym restrykcje ustawy o tajemnicy państwowej – rzekł – niewątpliwie mielibyśmy tu inwazję o wiele gorszą od tej tak zwanej Komy. Nasza prywatność ległaby w gruzach, a wrażliwość zostałaby pogwałcona przez trzy straszliwe współczesne Furie: prasę, radio i telewizję. Tak więc pomimo wszelkich związanych z tym niedogodności, których zapewne jest niemało, możecie być pewni naszej wdzięczności za uratowanie społeczności Midwich.

Panna Polly Rushton, praktycznie jedyna osoba przebywająca w okręgu z wizytą w czasie Komy, skróciła wakacje u wujostwa i wróciła do domu w Londynie. Alana Hughesa, ku jego ogromnemu niezadowoleniu, nie tylko z niewiadomych powodów przeniesiono do garnizonu w północnej Szkocji, ale także przedłużono mu służbę o kilka tygodni, więc teraz sporo czasu zajmowała mu wymiana urzędowych pism z kancelarią pułku, a resztę korespondencja z panną Zellaby. Pani Harriman, żona piekarza, najpierw podała szereg niezbyt przekonujących wersji wydarzeń wyjaśniających obecność zwłok Herberta Flagga w jej ogródku, a potem przeszła do ataku, wypominając mężowi jego znane i tylko podejrzewane zdrady. Niemal wszyscy inni żyli tak jak zwykle.

Tak więc po trzech tygodniach to zagadkowe zdarzenie praktycznie przeszło do historii. Nawet pozostałe po nim nowe nagrobki na cmentarzu – a przynajmniej prawie połowa z nich – mogłyby stanąć tam z przyczyn naturalnych. Jedyna nowa wdowa, pani Crankhart, już się pozbierała i nie zamierzała wpadać w depresję ani w rzeczy samej rozpaczać.

Midwich praktycznie tylko lekko zadrżało – może nerwowo, ale naprawdę bardzo lekko – po raz trzeci lub czwarty podczas swej tysiącletniej drzemki.

W tym momencie napotykam pewien problem techniczny, ponieważ – jak już wyjaśniłem – to nie jest opowieść o mnie, lecz o Midwich. Gdybym miał podawać wszystkie informacje w takiej kolejności, w jakiej je uzyskałem, musiałbym przeskakiwać w czasie tam i z powrotem, tworząc niemal niezrozumiały galimatias, w którym skutki wyprzedzałyby przyczyny. Dlatego byłem zmuszony uszeregować wydarzenia według ich chronologicznej kolejności. Jeśli takie podejście sugeruje niesamowitą przenikliwość lub niepokojącą wszechstronność autora, zapewniam czytelnika, iż jest to mądrość po fakcie.

Ponieważ na przykład nie uważne obserwacje, lecz późniejsze dociekania ujawniły, że wkrótce po tym, jak życie wioski pozornie znów zaczęło płynąć spokojnie, w tym nurcie pojawiły się drobne zawirowania – niepokojące fakty, początkowo odizolowane i niezauważane. Chyba pod koniec listopada czy nawet na początku grudnia – choć być może w niektórych przypadkach trochę wcześniej. Mniej więcej wtedy panna Ferrelyn Zellaby napisała w jednym z niemal codziennie wymienianych z panem Hughesem listów, że jej niepokojące podejrzenie zmieniło się w kłopotliwą pewność.

W bardzo nieskładny sposób wyjaśniła – czy może należałoby powiedzieć, wyznała – że nie wie, jak to możliwe, gdyż jest to całkowicie sprzeczne z wszelką znaną jej wiedzą, tym niemniej prawda jest taka, że w jakiś tajemniczy sposób chyba zaszła w ciążę, przy czym słowo „chyba" raczej jest niewłaściwe, ponieważ ma co do tego absolutną pewność. Tak więc czy Alan mógłby wziąć przepustkę na weekend, ponieważ w tej sytuacji należałoby porozmawiać…?

ROZDZIAŁ 7

Kolejne zdarzenia

Późniejsze dociekania ujawniły, że Alan nie był pierwszą osobą, która dowiedziała się o tym od Ferrelyn. Ta już od jakiegoś czasu martwiła się i dziwiła, a dwa lub trzy dni przed wysłaniem do niego tego listu postanowiła zawiadomić o fakcie rodzinę: po pierwsze, dlatego że bardzo potrzebowała rady i wyjaśnienia, którego nie znalazła w żadnej książce, a po drugie, uważała, że tak będzie godniej niż czekać, aż ktoś sam się domyśli. Zdecydowała, że najlepiej będzie najpierw powiedzieć Angeli, a matce – która zazwyczaj chciała wszystkimi dyrygować – trochę później, kiedy już wszystko będzie zorganizowane.

Łatwiej jednak było podjąć decyzję niż działania. W środę rano Ferrelyn postanowiła w pierwszej spokojnej chwili odciągnąć Angelę na bok i wyjaśnić, jak się mają sprawy...

Niestety w środę nie było żadnej spokojnej chwili. Czwartkowy ranek też okazał się nieodpowiedni, a po południu Angela miała zebranie Ligi Kobiet, z którego wróciła wieczorem zmęczona. W piątek po południu już niemal nadszedł odpowiedni moment – lecz wydawało się niewłaściwe poruszanie tego tematu w tej krótkiej chwili, gdy ojciec po lunchu oprowadzał gościa po ogrodzie, zamierzając zaraz wrócić z nim na herbatę. Tak więc z takich czy innych powodów Ferrelyn wstała w sobotę rano, wciąż nie podzieliwszy się z nikim swoim sekretem.

– Naprawdę muszę powiedzieć jej to dzisiaj – nawet jeśli chwila będzie się wydawała niezbyt odpowiednia. Inaczej może to trwać tygodniami – powiedziała sobie stanowczo, kiedy się ubrała.

Gdy dotarła do stołu, Gordon Zellaby kończył śniadanie. Z roztargnieniem przyjął jej powitalny całus i po chwili jak co dzień udał się na przechadzkę, a potem do gabinetu i pracy nad kolejnym dziełem.

Ferrelyn zjadła trochę płatków kukurydzianych, popiła je kawą, a potem zajęła się jajecznicą na bekonie. Dziobnęła ją dwa razy widelcem, po czym odsunęła talerz wystarczająco stanowczo, żeby wyrwać Angelę z zadumy.

– O co chodzi? – zapytała Angela ze swojego końca stołu. – Nieświeże jajka?

– Och, nie, z jajecznicą wszystko w porządku – powiedziała jej Ferrelyn. – Po prostu tak się składa, że nie mam dziś rano ochoty na jajka.

To najwyraźniej nie zainteresowało Angeli, wbrew oczekiwaniom jej pasierbicy. Wewnętrzny głos zdawał się ponaglać Ferrelyn: „Dlaczego nie teraz? W końcu to żadna różnica, kiedy jej powiesz!". Tak więc nabrała tchu. Próbując delikatnie przedstawić sprawę, powiedziała:

– Prawdę mówiąc, Angelo, miałam dziś rano mdłości.

– Naprawdę? – powiedziała jej macocha i zamilkła, smarując tosta masłem i marmoladą. Podnosząc go do ust, dodała: – Ja też. Okropność, prawda?

Teraz, gdy już naprowadziła rozmowę na pożądane tory, Ferrelyn nie zamierzała się zatrzymać. Skorzystała z okazji, choć lekko okrężną drogą:

– Myślę – powiedziała rzeczowo – że moje mdłości mają konkretną przyczynę. Są z rodzaju tych – dodała, żeby wszystko było jasne – które miewa osoba w ciąży, jeśli wiesz, co chcę przez to powiedzieć.

Angela przez chwilę przyglądała się jej w zadumie i z zaciekawieniem, po czym powoli skinęła głową.

– Wiem – potwierdziła. W skupieniu posmarowała masłem drugą część tosta i dodała marmoladę. Potem znów spojrzała na Ferrelyn.

– Ja też je miałam – powiedziała.

Ferrelyn otworzyła usta i spojrzała na nią ze zdumieniem. Ku swemu zaskoczeniu poczuła się lekko zaszokowana... Przecież... Chociaż w końcu dlaczego nie? Angela była zaledwie szesnaście lat starsza od niej, zatem było to najzupełniej naturalne, tylko... no cóż, jakoś trudno... Wydawało się to nie całkiem... Mimo wszystko tato miał już troje wnucząt z pierwszego małżeństwa...

Poza tym to było takie nieoczekiwane... Jakoś nie wydawało się możliwe... Nie żeby Angela nie była cudowną osobą, Ferrelyn bardzo ją lubiła, ale... raczej jako mądrą starszą siostrę... Teraz musiała się oswoić z myślą, że...

Gapiła się na Angelę, nie znajdując odpowiednich słów, ponieważ cała ta rozmowa nagle przybrała zupełnie nieoczekiwany obrót...

Angela nie widziała Ferrelyn. Spoglądała nad stołem i przez okno, na coś, co znajdowało się o wiele dalej niż nagie, rozkołysane gałęzie kasztanowca. Jej ciemne oczy były jasne i błyszczące.

Nagle pojawiły się w nich dwie skrzące łzy i zawisły na dolnych rzęsach. Powiększyły się, oderwały i spłynęły po policzkach.

Ferrelyn wciąż była jak sparaliżowana. Jeszcze nigdy nie widziała Angeli płaczącej. Macocha po prostu nie była skłonną do tego osobą...

Pochyliła się i skryła twarz w dłoniach. Ferrelyn skoczyła na równe nogi, jakby zerwała się z uwięzi. Podbiegła do Angeli, objęła ją i poczuła, że macocha drży. Przytuliła ją, głaszcząc po włosach i wydając pocieszające pomruki.

W ciszy, która zapadła potem, nie mogła się oprzeć wrażeniu, że ich role w dziwny sposób się zmieniły. Wprawdzie nie odwróciły się, gdyż nie zamierzała się wypłakiwać na ramieniu Angeli, ale sytuacja zmieniła się w tak przedziwny sposób, że Ferrelyn zwątpiła, czy to jawa.

Jednak Angela dość szybko przestała drżeć. Zaczęła oddychać spokojniej i w końcu sięgnęła po chusteczkę.

– Uff! – sapnęła. – Przepraszam, że tak się wygłupiłam, ale to ze szczęścia.

– Och – mruknęła niepewnie Ferrelyn.

Angela wydmuchała nos, zamrugała i otarła łzy.

– Widzisz – wyjaśniła – sama nie śmiałam w to uwierzyć. Mówiąc o tym, nagle uświadomiłam sobie, że to prawda. Wiesz, zawsze tak bardzo tego chciałam. Jednak wciąż nic i nic, więc zaczęłam myśleć... No cóż, już prawie postanowiłam zapomnieć o całej sprawie i pogodzić się z tym. A teraz, kiedy mimo wszystko to naprawdę się stało, ja... ja...

Znów zaczęła płakać, cicho i z ulgą.

Po kilku minutach pozbierała się, jeszcze raz otarła oczy i zdecydowanie schowała zmiętą chusteczkę.

– No dobrze – powiedziała. – Koniec z tym. Nigdy nie sądziłam, że jestem jedną z tych, które lubią się wypłakać, ale to mi pomogło. – Spojrzała na Ferrelyn. – Chociaż okazałam się straszną egoistką... Przepraszam, moja droga.

– Och, w porządku. Cieszę się razem z tobą – powiedziała

Ferrelyn, jej zdaniem wielkodusznie, gdyż reakcja macochy była trochę rozczarowująca. A po chwili dodała: – Co do mnie, to nie chce mi się płakać, ale jestem trochę przestraszona...

To słowo zwróciło uwagę Angeli i wyrwało ją z introspektywnych rozważań. Nie takiej reakcji Ferrelyn się spodziewała. Przez moment w zadumie spoglądała na pasierbicę, jakby dopiero zaczęła w pełni pojmować sytuację.

– Przestraszona, moja droga? – powtórzyła. – Nie sądzę, żebyś miała po temu jakiś powód. Oczywiście to trochę niewłaściwe, ale... no cóż, purytańskie podejście nic nam tu nie da. Przede wszystkim musisz się upewnić, że masz rację...

– Mam rację – zapewniła ponuro Ferrelyn. – Jednak nic nie rozumiem. W twoim wypadku jest inaczej; jesteś mężatką i w ogóle...

Angela zignorowała to. Ciągnęła:

– No cóż, zatem powinnaś zawiadomić Alana.

– Tak, chyba tak – zgodziła się Ferrelyn, ale bez zapału.

– Oczywiście, że tak. I nie musisz się tego obawiać. Alan cię nie zawiedzie. On cię uwielbia.

– Jesteś tego pewna, Angelo? – zapytała z powątpiewaniem.

– Ależ oczywiście, głuptasie. Wystarczy na niego popatrzeć. Owszem, to trochę zaskakujące, ale nie zdziwię się, jeśli będzie zachwycony. Naturalnie to... Hej, Ferrelyn, w czym rzecz?

Zamilkła, zaskoczona miną pasierbicy.

– Tylko... tylko nie rozumiesz. To nie był Alan.

Wyraz twarzy Angeli gwałtownie się zmienił. Zniknęło z niej współczucie, zastąpione chłodem. Zaczęła wstawać od stołu.

– Nie! – zawołała rozpaczliwie Ferrelyn. – Ty nic nie rozumiesz, Angelo. To nie tak. Nie było nikogo! Dlatego się boję...

* * *

W ciągu dwóch następnych tygodni trzy młode kobiety z Midwich przeprowadziły poufną rozmowę z panem Leebodym. Ochrzcił je, kiedy były małe; dobrze znał te dziewczyny i ich rodziców. Wszystkie trzy były porządne, inteligentne i z całą pewnością niegłupie, a jednak każda z nich powiedziała mu to samo:

– Nie było nikogo! Dlatego się boję…

Kiedy Harriman, piekarz, przypadkiem usłyszał, że jego żona była u lekarza, przypomniał sobie o ciele Herberta Flagga znalezionym w jego ogrodzie i pobił ją, chociaż ze łzami zapewniała, że Herbert nawet nie wszedł do ich domu i nie spotykała się z nim ani żadnym innym mężczyzną.

Młody Tom Dorry przyjechał do domu na przepustkę po osiemnastu miesiącach służby za granicą. Gdy dowiedział się o odmiennym stanie żony, spakował manatki i poszedł do matki. Ona jednak kazała mu wrócić i zaopiekować się przestraszoną dziewczyną, a kiedy to go nie wzruszyło, powiedziała mu, że ona sama, od lat szacowna wdowa, jest… no cóż, może nie wystraszona, ale nie ma zielonego pojęcia, jak do tego doszło. Zdezorientowany Tom Dorry wrócił do domu. Znalazł żonę leżącą na podłodze w kuchni, a obok niej puste opakowanie po aspirynie, i pognał po lekarza.

Pewna niezbyt młoda kobieta nagle kupiła rower i zaczęła pokonywać nim zdumiewająco duże odległości, pedałując z szaloną determinacją.

Dwie młode kobiety zemdlały w zbyt gorącej kąpieli.

Trzy w niewyjaśniony sposób potknęły się i spadły ze schodów.

Kilku innym zaczęły dokuczać niezwykłe dolegliwości gastryczne.

Zauważono, że nawet panna Ogle, poczmistrzyni, spożywała przedziwny posiłek złożony z kromek chleba grubo posmarowanych ostrą pastą śledziową i słoika korniszonów.

W końcu coraz bardziej zaniepokojony doktor Willers poszedł na plebanię, żeby pilnie naradzić się z panem Leebodym i – jakby uzasadniając potrzebę podjęcia działań – rozmowę przerwał im telefon wzywający doktora do nagłego wypadku.

Ten okazał się mniej groźny, niż mógłby być. Na szczęście słowo „trucizna" umieszczono na butelce ze środkiem dezynfekcyjnym jedynie zgodnie z przepisami i nie należało go traktować tak dosłownie, jak myślała Rosie Platch. To jednak nie zmieniało dramatycznego zamiaru. Kiedy skończył zabieg, doktor Willers trząsł się z bezsilnego gniewu. Biedna Rosie Platch miała zaledwie siedemnaście lat…

ROZDZIAŁ 8

Narada

Błogi spokój, jaki Gordon Zellaby odzyskał dwa dni po ślubie Alana i Ferrelyn, zakłóciło przybycie doktora Willersa. Lekarz, wciąż wzburzony niemal tragicznie zakończonym przypadkiem Rosie Platch, mówił tak nieskładnie, że Zellaby miał problem ze zrozumieniem sensu jego wypowiedzi.

W końcu jednak pojął, że lekarz i pastor postanowili zwrócić się do niego – a raczej, co istotniejsze, do Angeli – z prośbą o pomoc w pewnej bardzo niejasnej sprawie, a nieszczęsny przypadek córki Platchów skłonił Willersa do przybycia z tą misją wcześniej, niż zamierzał.

– Na razie mieliśmy szczęście – rzekł Willers – ale to już druga próba samobójcza w ciągu tygodnia. I w każdej chwili może dojść do następnej, być może skutecznej. Musimy ujawnić tę sprawę i rozładować napięcie. Nie możemy dłużej zwlekać.

– Ja o niczym nie wiem. Co to za sprawa? – spytał Zellaby.

Willers przez moment patrzył na niego ze zdumieniem, a potem potarł dłonią czoło.

— Przepraszam — rzekł. — Ostatnio jestem zupełnie wytrącony z równowagi; zapomniałem, że pan może nie wiedzieć. Chodzi o te wszystkie niewytłumaczalne ciąże.

— Niewytłumaczalne? — Zellaby uniósł brwi.

Willers starał się wyjaśnić mu, dlaczego są niewytłumaczalne.

— Cała ta sprawa jest tak niepojęta — zakończył — że pastor i ja skłaniamy się do teorii, że musi się w jakiś sposób łączyć z innym niepojętym zdarzeniem, które tu mieliśmy — z Komą.

Zellaby przez długą chwilę przyglądał mu się w zadumie. W tej sprawie nie budziła żadnych wątpliwości jedynie autentyczność niepokoju doktora.

— To ciekawa teoria — zauważył ostrożnie.

— To więcej niż ciekawa sytuacja — odparł Willers. — Jednakże to może zaczekać. Natomiast nie może czekać cała grupa kobiet bliskich histerii. Niektóre są moimi pacjentkami, inne nimi będą, a jeśli ta napięta sytuacja nie zostanie rozładowana...

Nie dokończył, kręcąc głową.

— Cała grupa kobiet? — powtórzył Zellaby. — To mało precyzyjne. Ile?

— Nie jestem pewny — przyznał Willers.

— A tak w przybliżeniu? Musimy mieć jakieś pojęcie, z czym mamy się zmierzyć.

— Powiedziałbym, że... no cóż, od sześćdziesięciu pięciu do siedemdziesięciu.

— Co takiego? — Zellaby popatrzył na niego z niedowierzaniem.

— Mówiłem panu, że to poważny problem.

— Skoro nie jest pan tego pewny, to dlaczego akurat sześćdziesiąt pięć?

— Ponieważ według mojej oceny — przyznaję, że mocno przybliżonej — w wiosce jest tyle kobiet w wieku rozrodczym — powiedział Willers.

Później tego wieczoru, gdy zmęczona i wstrząśnięta Angela poszła spać, Willers rzekł:

— Bardzo mi przykro, że musiałem to powiedzieć, ale wkrótce i tak by się dowiedziała. Mam nadzieję, że pozostali przyjmą to choć w połowie tak dzielnie jak pańska małżonka.

Zellaby ponuro skinął głową.

— Jest wspaniała, nieprawdaż? Zastanawiam się, jak pan czy ja znieślibyśmy taki szok.

— Piekielna sprawa — przyznał Willers. — Dotychczas większość mężatek mogła być spokojna, ale teraz one też zaczną się niepokoić, ponieważ musimy powiedzieć wszystkim, żeby niezamężne nie dostały rozstroju nerwowego. Jednak nie widzę innego rozwiązania.

— Przez cały dzisiejszy wieczór zastanawiam się, ile powinniśmy im wyjawić — rzekł Zellaby. — Przedstawić sprawę jako zagadkową i pozwolić, by same wyciągały wnioski, czy może jest jakiś lepszy sposób?

— No cóż, do licha, przecież ta sprawa jest zagadkowa, czyż nie? — przypomniał lekarz.

— Zagadką jest, jak do tego doszło — przyznał Zellaby. — Jednak nie sądzę, aby ktoś miał jakieś wątpliwości w kwestii tego, co się stało. Pan także — chyba że nie chce pan przyjąć tego do wiadomości.

— Proszę mi powiedzieć, co według pana się stało. Pański tryb rozumowania może być odmienny od mojego. A przynajmniej taką mam nadzieję.

Zellaby potrząsnął głową.

– Nasuwa się wniosek… – zaczął i urwał, gapiąc się na zdjęcie córki. – Mój Boże! – wykrzyknął. – Ferrelyn też…? Powoli obrócił głowę i spojrzał na lekarza. – Zapewne usłyszę, że po prostu pan nie wie?

Willers się zawahał.

– Nie mam pewności – rzekł.

Zellaby odgarnął z czoła siwe włosy i opadł na fotel. Przez co najmniej minutę w milczeniu spoglądał na deseń dywanu. Potem się otrząsnął. Chłodno i rzeczowo zauważył:

– Nasuwają się trzy – nie, raczej cztery – możliwości. Sądzę, że wspomniałby pan, gdyby jakiś dowód potwierdzał najbardziej oczywiste wyjaśnienie? Ponadto przemawiają przeciwko temu inne fakty, o których niebawem wspomnę.

– Istotnie – przyznał lekarz.

Zellaby skinął głową.

– Jest także możliwe, przynajmniej u niektórych niższych form życia, wywołanie partenogenezy.

– Jednak nie u wyższych form życia, o ile mi wiadomo, a na pewno nie u ssaków.

– Właśnie. No cóż, jest też sztuczne zapłodnienie.

– Jest – przyznał lekarz.

– Jednak nie w tym wypadku.

– Nie.

– Ja też tak sądzę. Tak więc – ciągnął ponuro Zellaby – zostaje nam implantacja, której rezultat ktoś – chyba Huxley – nazwał ksenogenezą. Czyli produkcja potomstwa niepodobnego do ojca i matki, którą w tym wypadku można nazwać „nosicielką". Ponieważ żadne z nich nie jest rzeczywistym rodzicem.

Doktor Willers zmarszczył brwi.

– Miałem nadzieję, że na to nie wpadną – powiedział.

Zellaby pokręcił głową.

— Tę nadzieję, drogi panie, powinieneś porzucić. Może nie wpadną na to od razu, ale to wyjaśnienie — jeśli to nie nazbyt definitywne określenie — inteligentni ludzie nieuchronnie wkrótce znajdą. Oto dlaczego. Zgadzamy się, prawda, pominąć partenogenezę, ponieważ nie ma żadnego jej wiarygodnie udokumentowanego przypadku?

Lekarz skinął głową.

— A zatem wkrótce stanie się dla nich równie oczywiste jak dla mnie i z pewnością dla pana, że w tym wypadku teoria prawdopodobieństwa wyklucza zarówno akt przemocy, jak sztuczne zapłodnienie. Co, nawiasem mówiąc, wydaje się dotyczyć także partenogenezy, nawet gdyby była możliwa. Po prostu jest statystycznie nieprawdopodobne, by jedna czwarta kobiet w przypadkowo wybranej grupie w tym samym czasie zaszła w ciążę.

— Cóż… — zaczął z powątpiewaniem lekarz.

— No dobrze, zwiększmy tę liczbę do jednej trzeciej. Nawet wtedy, jeśli pańska ocena sytuacji jest prawidłowa lub choćby zbliżona do rzeczywistości, mamy do czynienia ze zjawiskiem nieprawdopodobnym statystycznie. Tak więc, czy nam się to podoba czy nie, pozostaje nam tylko czwarta i ostatnia możliwość: że podczas Komy dokonano implantacji zapłodnionych jajeczek.

Willers miał bardzo nieszczęśliwą minę, ale wciąż nie był całkowicie przekonany.

— Kwestionowałbym słowo „ostatnia", ponieważ mogą być jakieś inne możliwości, których nie wzięliśmy pod uwagę.

Z lekkim zniecierpliwieniem Zellaby rzekł:

— Czy może pan podać jakąś formę poczęcia, która pokonałaby tę statystyczną barierę? Nie? Doskonale. W takim razie to nie mogło być poczęcie; w takim razie musi to być implantacja.

Lekarz westchnął.

– No dobrze. Ma pan rację – rzekł. – Mnie jednak tylko marginalnie interesuje to, jak do tego doszło; moją główną troską jest dobro tych, które są i będą moimi pacjentkami...

– I będzie miał pan powód do zmartwienia – wtrącił Zellaby – ponieważ, skoro one wszystkie są w tym samym stadium ciąży, to – pomijając ewentualne poronienia – będą rodzić prawie jednocześnie. Mniej więcej pod koniec czerwca i w pierwszym tygodniu lipca – oczywiście, jeśli ciąże będą miały normalny przebieg.

– Obecnie – ciągnął stanowczo Willers – moim głównym celem jest zmniejszenie, a nie zwiększanie ich niepokoju. I dlatego musimy zrobić wszystko, żeby jak najdłużej powstrzymać rozpowszechnianie wiadomości o tej implantacji. Mogłaby wywołać panikę. Dla dobra pacjentek proszę, żeby przekonująco wykpił pan wszelkie tego rodzaju teorie, które pan usłyszy.

– Tak – zgodził się po namyśle Zellaby. – Tak. Zgoda. Myślę, że w tym wypadku dobro ogółu uzasadnia cenzurę. – Zmarszczył brwi. – Trudno przewidzieć, jak kobieta zachowa się w tej sytuacji; mogę tylko powiedzieć, że gdybym to ja miał – nawet w najpomyślniejszych okolicznościach – wydać na świat nowe życie, byłbym pełen obaw. A gdybym miał jakiś powód podejrzewać, że może to być jakaś nieoczekiwana forma życia, to chyba bym oszalał. Oczywiście to nie dotyczy większości kobiet, ponieważ są odporniejsze psychicznie; jednak w interesie mniejszości najlepiej będzie przekonująco negować taką możliwość.

Zamilkł i się zamyślił.

– Teraz powinniśmy opracować linię działania dla mojej żony. Trzeba uwzględnić różne aspekty sprawy. Jednym z najdelikatniejszych będzie rozgłos – a raczej jego unikanie.

– Dobry Boże, tak – rzekł Willers. – Jeśli prasa coś zwietrzy...

– Wiem. Boże, miej nas w opiece, gdyby tak się stało. Codzienne artykuły przez sześć miesięcy i lawina najróżniejszych spekulacji. Dziennikarze z pewnością nie przeoczyliby możliwości ksenogenezy. Najprawdopodobniej rywalizowaliby ze sobą w najdzikszych przewidywaniach. Zatem dobrze; wywiad wojskowy zdołał utrzymać w tajemnicy Komę; zobaczymy, co może zrobić w tej sprawie. A teraz opracujmy linię postępowania dla mojej…

ROZDZIAŁ 9

Utrzymanie w tajemnicy

Agitacja na rzecz wzięcia udziału w, jak to nieformalnie nazwano, „specjalnym nadzwyczajnym zebraniu o ogromnym znaczeniu dla każdej kobiety z Midwich" była intensywna. Nas odwiedził Gordon Zellaby, który zdołał przekazać nam, że sprawa jest dość dramatyczna i pilna, używając wielu starannie dobranych, niczego niewyjaśniających słów. Sposób, w jaki odpierał wszelkie próby wyciągnięcia z niego konkretnych informacji, tylko podsycał zainteresowanie.

Kiedy ludzie się przekonali, że nie chodzi po prostu o kolejne ćwiczenia obrony cywilnej ani żadną tego rodzaju normalną imprezę, bardzo ich zaciekawiło, z jakiego powodu lekarz, pastor, ich żony, rejonowa pielęgniarka oraz małżeństwo Zellabych zadali sobie trud osobistego zapraszania wszystkich. Ich wymijające odpowiedzi poparte zapewnieniami, że będzie to bezpłatna impreza, a nie kwesta, za to z darmowym podwieczorkiem, sprawiły, że ciekawość zatriumfowała nawet u najbardziej podejrzliwych osób i na sali było niewiele pustych miejsc.

Dwaj główni organizatorzy spotkania usiedli na podium, a między nimi nieco pobladła Angela Zellaby. Lekarz palił papierosa, nerwowo się zaciągając. Pastor był pogrążony w zadumie i wyrywał się z niej od czasu do czasu, aby rzucić jakąś uwagę do pani Zellaby, która odpowiadała mu z roztargnieniem. Zaczekano dziesięć minut na spóźnialskie, a potem lekarz poprosił, by zamknięto drzwi, i otworzył zebranie, krótko przypominając o jego ogromnym znaczeniu, lecz nadal niczego nie wyjaśniając. Potem jeszcze poparł go pastor. Zakończył następującymi słowami:

– Gorąco proszę, aby wszyscy tu obecni bardzo uważnie wysłuchali tego, co ma do powiedzenia pani Zellaby. Jesteśmy jej bardzo zobowiązani za gotowość przedstawienia tej sprawy. I uprzedzam, że wraz z doktorem Willersem w pełni aprobujemy wszystko, co wam powie. Zapewniam, że obarczyliśmy ją tym zadaniem tylko dlatego, że uważamy, iż kobieta przedstawi to w sposób bardziej zrozumiały i łatwiejszy do zaakceptowania. Doktor Willers i ja opuścimy teraz tę salę, ale pozostaniemy w budynku. Jeśli zechcecie, to kiedy pani Zellaby skończy, wrócimy na podium i postaramy się odpowiedzieć na pytania. A teraz proszę uważnie wysłuchać pani Zellaby.

Skinął na doktora, przepuszczając go przodem, po czym obaj wyszli bocznymi drzwiami. Same się za nimi zamknęły, ale nie do końca.

Angela Zellaby napiła się wody ze stojącej przed nią szklanki. Przez moment spoglądała na swoje dłonie spoczywające na notatkach. Potem podniosła głowę i poczekała, aż ucichną szepty. Gdy to się stało, uważnie przyjrzała się słuchaczkom, jakby chciała zapamiętać każdą twarz.

– Przede wszystkim – zaczęła – muszę was ostrzec. O tym, o czym muszę wam powiedzieć, trudno mi będzie mówić; a wam trudno będzie w to uwierzyć, ponieważ na razie nikt z nas nie jest w stanie tego zrozumieć.

Przerwała, spuściła oczy, ale zaraz znów je podniosła.

– Będę miała dziecko – powiedziała. – Jestem z tego bardzo, bardzo zadowolona i szczęśliwa. To normalne, że kobieta chce mieć dzieci i cieszy się z tego, że przyjdą na świat. Nie jest normalne ani dobre, kiedy się tego obawia. Dzieci powinny być powodem do radości i zadowolenia. Niestety wiele kobiet w Midwich nie może odczuwać tego w ten sposób. Niektóre są przygnębione, zawstydzone i przestraszone. To dla ich dobra zwołaliśmy to zebranie. Aby pomóc tym nieszczęśliwym i zapewnić je, że nie mają powodu tak się czuć.

Znów uważnie przyjrzała się słuchaczkom. Niektóre z nich wstrzymały oddech.

– Zdarzyło się tu coś bardzo, bardzo dziwnego. I przydarzyło się to nie tylko paru z nas, ale niemal wszystkim – prawie każdej kobiecie w Midwich zdolnej do rodzenia dzieci.

Słuchaczki siedziały nieruchome i milczące, nie odrywając od niej oczu, gdy przedstawiała im sytuację. Jednak zanim skończyła, przerwały jej szepty dochodzące z prawej strony sali. Spojrzała tam i zobaczyła w centrum tego zamieszania pannę Latterly oraz jej nieodłączną towarzyszkę, pannę Lamb.

Angela urwała w pół zdania i czekała. Słyszała oburzony głos panny Latterly, ale nie rozróżniała słów.

– Panno Latterly – powiedziała stanowczo. – Czy mam rację, sądząc, że nie interesuje pani temat tego zebrania?

Panna Latterly wstała i powiedziała drżącym z oburzenia głosem:

– Ma pani całkowitą rację, pani Zellaby. Nigdy w życiu...

– A zatem, ponieważ ta sprawa ma ogromne znaczenie dla

wielu obecnych tu osób, mam nadzieję, że nie będzie nam pani już przeszkadzać... Czy też może woli nas pani opuścić?

Panna Latterly nie poddawała się, mierząc wzrokiem panią Zellaby.

– To... – zaczęła, lecz nagle zmieniła zdanie. – Bardzo dobrze, pani Zellaby – powiedziała. – Innym razem zaprotestuję przeciwko tym niesłychanym oszczerstwom, jakimi obrzuca pani naszą społeczność.

Z godnością odwróciła się i zatrzymała, najwyraźniej oczekując, że panna Lamb wyjdzie razem z nią.

Panna Lamb jednak nie ruszyła się z miejsca. Panna Latterly spojrzała na nią, ze zniecierpliwieniem marszcząc brwi. Panna Lamb nadal siedziała nieruchomo.

Panna Latterly otworzyła usta, żeby coś powiedzieć, ale powstrzymała ją mina przyjaciółki. Panna Lamb nie patrzyła jej w oczy. Spoglądała przed siebie i ciemne rumieńce wypłynęły jej na policzki.

Z ust panny Latterly wyrwał się dziwny, zduszony jęk. Wyciągnęła rękę i przytrzymała się krzesła, żeby nie upaść. Nic nie mówiąc, ze zdumieniem spoglądała na przyjaciółkę. Wydawało się, że w kilka sekund postarzała się o dziesięć lat. Potem puściła oparcie krzesła. Opanowała się z najwyższym trudem. Zdecydowanie podniosła głowę, wodząc wokół niewidzącym wzrokiem. Potem, sztywno wyprostowana, trochę niepewnym krokiem pomaszerowała przejściem do drzwi na końcu sali.

Angela czekała. Spodziewała się szmeru komentarzy, ale go nie było. Słuchaczki wyglądały na wstrząśnięte i zaskoczone. Wszystkie twarze obróciły się ku niej, wyczekująco. W ciszy podjęła przemowę od miejsca, w którym ją przerwała, usiłując rzeczowym podejściem rozładować napięcie wywołane przez pannę Latterly. Z trudem dobrnęła do końca wprowadzenia i zrobiła przerwę.

Tym razem szybko podniósł się spodziewany gwar komentarzy. Angela wypiła łyk wody ze szklanki i dyskretnie otarła zmiętą w kłąb chusteczką spocone dłonie, bacznie obserwując słuchaczki.

Zobaczyła, jak panna Lamb pochyla się z chusteczką przyciśniętą do oczu, a siedząca obok niej pani Brant życzliwie próbuje ją pocieszyć. Panna Lamb w żadnym razie nie była jedyną obecną szukającą ulgi we łzach. Wokół tych pochylających głowy kobiet unosił się coraz głośniejszy gwar pełnych niedowierzania i oburzenia, skonsternowanych i podniesionych głosów. Tu i ówdzie zauważyła oznaki histerii, ale nie gwałtowny wybuch, którego się obawiała. Zastanawiała się, w jakim stopniu przeczucie prawdy złagodziło szok.

Z ulgą i rosnącą pewnością siebie przez kilka minut obserwowała słuchaczki. Gdy doszła do wniosku, że minęło dość czasu, by ochłonęły, zastukała w stół. Szepty ucichły, łkania również, a potem rzędy wyczekujących twarzy znów zwróciły się ku niej. Angela nabrała tchu i znów zaczęła mówić.

– Tylko dziecko – powiedziała – albo ktoś naiwny jak dziecko sądzi, że los jest sprawiedliwy. Nie jest, i dlatego niektórym z nas tutaj będzie ciężej niż innym. Pomimo to, sprawiedliwie czy nie, nawet jeśli nam się to nie podoba, każda z nas, zamężna czy samotna, jest teraz w tej samej łodzi. Nie ma podstaw wzajemnego dyskredytowania się czy obrażania. Wszystkie znalazłyśmy się w niekonwencjonalnej sytuacji i gdyby któraś z obecnych tu mężatek chciała uznać się za cnotliwszą od swej niezamężnej sąsiadki, to powinna rozważyć, jak w razie potrzeby mogłaby dowieść, że poczęła dziecko z małżonkiem. Wszystkie jesteśmy w tej samej sytuacji. To powinno nas zjednoczyć, dla dobra nas wszystkich. Żadna z nas nie ponosi żadnej winy, tak więc nie ma mowy o jakimś różnicowaniu, poza tym… – Przerwała, a potem dokończyła: – Poza tym, że te z nas, które nie mają oparcia w kochającym mężu, będą potrzebowały więcej naszej sympatii i troski.

Rozwijała ten temat przez chwilę, aż uznała, że zdołała je przekonać. Wtedy poruszyła inny.

– To nasza sprawa – oznajmiła z naciskiem – ponieważ nie ma żadnej bardziej osobistej niż ta. Jestem pewna, i sądzę, że przyznacie mi rację, że taką powinna pozostać. Zajmiemy się tym same i nie pozwolimy, by wtrącał się ktoś postronny. Z pewnością wszystkie wiecie, jak brukowce rzucają się na wszystko, co ma związek z narodzinami dzieci, szczególnie w niezwykłych okolicznościach. Robią z tego tandetne widowisko, jakby ludzie, których to dotyczy, byli dziwolągami z wesołego miasteczka. Życie rodziców, ich domy i dzieci przestają być ich prywatną sprawą. Wszystkie czytałyśmy o przypadku ciąży mnogiej, którą zajęły się gazety, a następnie przedstawiciele medycznej profesji popierani przez rząd, w rezultacie czego rodzice zostali praktycznie pozbawieni opieki nad swoimi dziećmi wkrótce po ich narodzinach. No cóż, ja nie zamierzam utracić mojego dziecka w ten sposób i spodziewam się – a także mam nadzieję – że wy wszystkie również. Tak więc jeśli nie chcemy mieć najpierw mnóstwa nieprzyjemności – ponieważ ostrzegam, że gdyby ta sprawa stała się powszechnie znana, byłaby omawiana w każdym klubie i pubie, z bardzo wieloma paskudnymi insynuacjami – zatem jeśli chcemy uniknąć tego oraz bardzo prawdopodobnego odebrania nam dzieci pod takim czy innym pretekstem przez lekarzy i naukowców, to w obecnej sytuacji musimy wszystkie unikać jakichkolwiek wzmianek o tym w rozmowach z ludźmi spoza naszej wioski. Od nas zależy, czy wszelkie decyzje w tej sprawie będą podejmowane przez mieszkańców Midwich, czy przez jakąś gazetę lub ministerstwo. Jeśli zaczną nas wypytywać sąsiedzi z Trayne czy innej miejscowości albo pojawią się tu obcy ludzie zadający pytania, dla dobra naszych dzieci i naszego nie możemy im niczego mówić. Jednak nie możemy po prostu milczeć tajemniczo, co wzbudziłoby podejrzenia. Musimy zachowywać się tak, jakby w Midwich nie działo się nic niezwykłego. Jeśli będziemy działać zgodnie i wytłumaczymy naszym mężom, że oni też muszą współpracować, to nie wzbudzimy zainteresowania i ludzie zostawią nas w spokoju. Nikt, ale to nikt, nie ma większego prawa i obowiązku chronienia naszych dzieci niż my, które będziemy ich matkami.

Ponownie, tak jak na początku swej przemowy, przyjrzała im się uważnie, niemal każdej z osobna. Potem zakończyła następującymi słowami:

— Teraz poproszę pastora i doktora Willersa, żeby wrócili na salę. Ja przeproszę was na kilka minut i dołączę do nich później. Wiem, że z pewnością chcecie zadać wiele pytań.

Wymknęła się do bocznej salki.

— Wspaniale, pani Zellaby. Naprawdę wspaniale — pochwalił pan Leebody.

Doktor Willers ujął i uścisnął jej dłoń.

— Myślę, że dopięłaś swego, moja droga — powiedział i podążył za pastorem na podium.

Zellaby podprowadził ją do krzesła. Usiadła i z zamkniętymi oczami odchyliła się do tyłu. Była blada i wyglądała na wyczerpaną.

— Chyba powinnaś pójść do domu — stwierdził.

Przecząco pokręciła głową.

— Nie. Za kilka minut dojdę do siebie. Muszę tam wrócić.

— Poradzą sobie bez ciebie. Zrobiłaś swoje, i to doskonale.

Znów pokręciła głową.

— Wiem, jak czują się te kobiety. To decydująca chwila, Gordonie. Musimy im pozwolić zadawać pytania i mówić — jak długo zechcą. Dzięki temu zanim stąd wyjdą, minie pierwszy szok.

Oswoją się z tym pomysłem. Potrzebują wzajemnego wsparcia. Ja to wiem, ponieważ ja też go pragnę.

Podniosła dłoń do czoła i odgarnęła włosy.

– Wiesz, Gordonie, że nie jest prawdą to, co powiedziałam.

– Co konkretnie? No wiesz, powiedziałaś wiele rzeczy.

– To, że jestem zadowolona i szczęśliwa. Dwa dni temu tak było – naprawdę. Tak bardzo chciałam tego dziecka, naszego dziecka. Teraz się tego boję... Boję się, Gordonie.

Objął ją i mocno przytulił. Z westchnieniem oparła głowę na jego ramieniu.

– Kochanie, kochanie – powiedział, delikatnie gładząc jej włosy. – Wszystko będzie dobrze. Zajmiemy się tobą.

– Ta niewiedza! – wykrzyknęła. – Mieć świadomość, że coś w tobie rośnie, i nie wiedzieć co ani jak to możliwe... To takie... takie upokarzające! Sprawia, że czuję się jak zwierzę.

Łagodnie pocałował ją w policzek i nadal gładził jej włosy.

– Nie martw się – powiedział. – Jestem gotów się założyć, że gdy on lub ona przyjdzie na świat, to ledwie rzucisz okiem, a zawołasz: „O rany, ma nos Zellabych!". Ale jeśli nie, stawimy temu czoło razem. Nie jesteś sama, kochanie, nigdy nie myśl, że jesteś sama. Jestem tutaj i Willers też. Jesteśmy tu, żeby ci pomóc, zawsze i stale!

Obróciła głowę i pocałowała go.

– Gordonie, kochany – powiedziała. Potem odsunęła się i wyprostowała. – Muszę wrócić na salę – oznajmiła.

Zellaby przez moment spoglądał za nią. Potem przesunął krzesło bliżej niedomkniętych drzwi, zapalił papierosa i usiadł, żeby czujnie rejestrować nastroje mieszkańców, ujawniające się w zadawanych przez nich pytaniach.

ROZDZIAŁ 10

Porozumienie

W styczniu przede wszystkim trzeba było złagodzić szok i sterować reakcjami, aby w ten sposób wywołać pożądane nastawienie. Pierwsze zebranie można było uznać za sukces. Oczyściło atmosferę i rozładowało niepokój; uczestniczki, okiełznane, zanim otrząsnęły się z oszołomienia, w większości zaakceptowały propozycję solidarności i współodpowiedzialności.

Można się było spodziewać, że kilka osób się zdystansuje, ale i one tak samo jak reszta nie chciały, by naruszano ich prywatność, a drogi zostały zakorkowane przez autokary pełne gapiów zaglądających im przez okna do mieszkań. Co więcej, te nieliczne osoby spragnione rozgłosu z łatwością się zorientowały, że wieś jest gotowa złamać je bojkotem. A jeśli pan Wilfred Williams czasem ze smutkiem myślał o tłumie klientów, którzy mogliby gościć w The Scythe and Stone, to i tak lojalnie popierał decyzję ogółu, rozumiejąc długofalowe korzyści okazywanej dobrej woli.

Kiedy początkowe zaskoczenie ustąpiło miejsca przekonaniu, że ster trzymają wprawne dłonie, gdy wahania nastroju młodych niezamężnych kobiet od przestrachu i przygnębienia przeszły w zarozumiałe samozadowolenie i gdy atmosfera wyczekiwania zaczęła przypominać tę, jaka poprzedzała doroczny festyn i wystawę kwiatów, samozwańczy komitet uznał, że udało mu się właściwie pokierować sprawą.

Do komitetu, początkowo złożonego z Willersa, Leebodych, Zellabych i pielęgniarki Daniels, dokooptowano nas oraz pana Arthura Crimma, który miał reprezentować interesy kilku urażonych pracownic The Grange, teraz mimowolnie uwikłanych w życie społeczności Midwich.

Jednak choć nastrój na zebraniu komisji pięć dni po spotkaniu w świetlicy można by celnie podsumować stwierdzeniem „na razie dobrze", członkowie doskonale zdawali sobie sprawę z tego, że nie można na tym poprzestać i oczekiwać, że problem sam się rozwiąże. Chęć współpracy, którą udało się obudzić, nie podtrzymywana zbyt łatwo mogła znów utonąć w oparach konwencjonalnych uprzedzeń. Co najmniej przez jakiś czas należało ją podsycać i wzmacniać.

– Musimy stworzyć – podsumowała Angela – coś w rodzaju poczucia wspólnego nieszczęścia, oczywiście nie sugerując, że jest to nieszczęście, ponieważ istotnie, o ile nam wiadomo, nie jest.

Jej propozycje zaaprobowali wszyscy prócz pani Leebody, która najwyraźniej miała wątpliwości.

– Jednak – powiedziała niepewnie – powinniśmy być uczciwi, wiecie.

Pozostali spojrzeli na nią pytająco.

– Chcę przez to powiedzieć – ciągnęła – że przecież to jest nieszczęście, nieprawdaż? W końcu coś takiego nie przydarzyło się nam bez powodu? Musi być jakiś powód, tak więc czyż nie jest naszym obowiązkiem go szukać?

Angela spoglądała na nią, lekko marszcząc brwi.

– Chyba niezupełnie rozumiem... – powiedziała.

– Cóż – wyjaśniła pani Leebody – kiedy coś takiego – tak niezwykłego – nagle przydarza się społeczności, to zazwyczaj z jakiegoś powodu. Spójrzmy na plagi egipskie, Sodomę i Gomorę, czy inne tego rodzaju zdarzenia.

Zapadła cisza. Zellaby poczuł, że powinien rozładować niezręczną sytuację.

– Co do mnie – oznajmił – to uważam plagi egipskie za mało budujący przykład niebiańskiej tyranii; takie metody obecnie nazywamy polityką siły. Co do Sodomy... – Urwał i zamilkł, napotkawszy spojrzenie małżonki.

– Hmm... – mruknął pastor, ponieważ najwyraźniej oczekiwano, że coś powie. – Hmm...

Angela przyszła mu z pomocą.

– Naprawdę nie sądzę, aby należało się tym przejmować, pani Leebody. Oczywiście bezpłodność jest klasyczną formą przekleństwa, ale nie przypominam sobie, żeby kiedykolwiek płodność była karą. Raczej nie miałoby to sensu, prawda?

– To zależy od płodu – powiedziała ponuro pani Leebody.

Znów zapadła niezręczna cisza. Wszyscy, z wyjątkiem pana Leebody, spoglądali na jego małżonkę. Doktor Willers przeniósł wzrok na pielęgniarkę Daniels, a potem znów na Dorę Leebody, bynajmniej niestropioną tym, że skupiła na sobie uwagę wszystkich. Obrzuciła nas przepraszającym spojrzeniem.

– Przepraszam, ale obawiam się, że to ja spowodowałam to wszystko – wyznała.

– Pani Leebody... – zaczął lekarz.

Powstrzymała go, podnosząc dłoń.

– Jest pan uprzejmy – powiedziała. – Wiem, że chce pan mnie oszczędzić. Jednak nadszedł czas, by wyznać prawdę. Widzicie, jestem grzesznicą. Gdybym dwanaście lat temu wydała na świat dziecko, to wszystko by się nie wydarzyło. Teraz muszę odpokutować mój grzech, nosząc dziecko, którego ojcem nie jest mój mąż. To zupełnie oczywiste. Bardzo mi przykro, że sprowadziłam to na was wszystkich. Widzicie, nadszedł dzień sądu. Tak jak plagi egipskie…

Pastor, zaczerwieniony i zakłopotany, jej przerwał:

– Myślę… hmm… może przeprosimy państwa na chwilę…

Zaskrzypiały odsuwane krzesła. Pielęgniarka Daniels podeszła do pani Leebody i zaczęła z nią cicho rozmawiać. Doktor Willers obserwował je przez moment, zanim zdał sobie sprawę z tego, że pan Leebody stoi obok niego i patrzy nań pytająco. Położył dłoń na ramieniu pastora.

– To był dla niej szok – powiedział doktor. – I nic dziwnego. Spodziewałem się wielu takich przypadków. Poproszę panią Daniels, żeby odprowadziła ją do domu i podała środek uspokajający. Powinna dojść do siebie po kilku godzinach snu. Zajrzę do państwa jutro rano.

Po paru minutach rozeszliśmy się przygaszeni i zamyśleni.

Taktyka zaproponowana przez Angelę Zellaby okazała się bardzo skuteczna. W drugiej połowie stycznia wdrożono tak bogaty program społecznej aktywności i dobrosąsiedzkiej pomocy, że naszym zdaniem tylko najbardziej zdeterminowani i niechętni do współpracy mieli okazję i czas na ponure rozmyślania.

Pod koniec lutego mogłem napisać Bernardowi, że ogólnie rzecz biorąc, wszystko przebiega gładko – a w każdym razie lepiej niż początkowo śmiałem mieć nadzieję. Wprawdzie było kilka wahań nastrojów, ale dotychczas wszystko szybko wracało do normy. Szczegółowo opisałem mu, co działo się w wiosce od mojego poprzedniego raportu, ale nie byłem w stanie podać mu żadnych informacji dotyczących nastrojów i poglądów personelu The Grange, o które prosił. Widocznie naukowcy uważali, że tę sprawę obejmuje złożone przez nich zobowiązanie o tajemnicy służbowej, albo uznali, że bezpieczniej będzie udawać, że tak jest.

Pan Crimm nadal był jedynym łącznikiem między nimi a wioską i miałem wrażenie, że w celu uzyskania od niego informacji musiałbym wyjawić mu oficjalny charakter mojego zainteresowania albo pozostawić to Bernardowi. Ten oczywiście wolał to drugie rozwiązanie, więc uzgodniłem, że pan Crimm spotka się z nim podczas swego następnego pobytu w Londynie.

Odwiedził nas w drodze powrotnej, uważając, że może już porozmawiać z nami o swoich kłopotach, głównie natury administracyjnej.

– Zarząd tak lubi porządek – narzekał. – Po prostu nie wiem, co zrobimy, gdy sześć moich pracownic zacznie dopominać się zapomóg i urlopów, powodując koszmarny bałagan w ich schludnych harmonogramach. A ponadto będziemy mieli opóźnienia planu pracy. Powiedziałem pułkownikowi Westcottowi, że jeśli jego wydział naprawdę chce zachować tę sprawę w tajemnicy, to musi ją wyciszyć interwencją na najwyższym szczeblu. W przeciwnym razie niedługo będziemy musieli składać wyjaśnienia. Myślę, że się ze mną zgadza. Jednak nie rozumiem, dlaczego właśnie ta sprawa tak bardzo interesuje wywiad, a pan?

– Niestety – powiedziała mu Janet. – Kiedy usłyszeliśmy, że ma się pan z nim zobaczyć, mieliśmy nadzieję, że dowie się pan czegoś i nas oświeci.

Przez jakiś czas życie w Midwich wydawało się płynąć spokojnie, ale już wkrótce coś zakłóciło jego bieg i lekko nas zaniepokoiło.

Po owym przedwcześnie zakończonym za jej sprawą zebraniu komitetu pani Leebody – co nikogo nie zaskoczyło – przestała aktywnie uczestniczyć w działaniach promujących harmonijną egzystencję mieszkańców wsi. Gdy ponownie pojawiła się po kilkudniowym odpoczynku, najwyraźniej odzyskała równowagę ducha, postanawiając ignorować całą niefortunną sytuację jako niesmaczny temat.

Jednakże pewnego dnia na początku marca pastor z kościoła Świętej Marii w Trayne oraz jego żona przywieźli ją do domu swoim samochodem. Lekko zmieszani wyjaśnili panu Leebody, że znaleźli ją na rynku w Trayne, gdzie stała na przewróconej do góry dnem skrzynce i wygłaszała kazanie.

– Hmm... kazanie? – powtórzył pan Leebody z troską i niepokojem. – Ja... hmm... możecie mi powiedzieć o czym?

– Och, cóż... no... obawiam się, że było dość dziwaczne – odparł wymijająco pastor z Trayne.

– Sądzę, że jednak powinienem wiedzieć o czym. Lekarz z pewnością o to zapyta, kiedy przyjdzie.

– Cóż... hmm... w zasadzie o konieczności skruchy, o potrzebie... hmm... odnowy religijnej. Wzywała mieszkańców Trayne do żalu za grzechy i modlitw o przebaczenie, grożąc gniewem Bożym, karą i ogniem piekielnym. Obawiam się, że dość nonkonformistycznie. Drastycznie. I z naciskiem ostrzegała, żeby unikali wszelkich kontaktów z mieszkańcami Midwich, którzy już cierpią z powodu Bożej dezaprobaty. Jeśli mieszkańcy Trayne nie usłuchają i się nie poprawią, ich również spotka nieuchronna kara.

– Ach, tak – powiedział pan Leebody, nie podnosząc głosu. – Nie powiedziała, jaką formę ma to nasze cierpienie?

– Dopustu bożego – powiedział pastor z kościoła Świętej Marii. – A konkretnie plagi... hmm... dzieci. Co oczywiście wywołało trochę sprośnych komentarzy. Pożałowania godna reakcja. Oczywiście, gdy żona poinformowała mnie o... stanie zdrowia pani Leebody, sprawa stała się bardziej zrozumiała, chociaż jeszcze bardziej przygnębiająca. Tak więc... och, oto doktor Willers!

Zamilkł z ulgą.

Tydzień później, wcześnie po południu, pani Leebody stanęła na najniższym schodku pomnika ofiar wojny i zaczęła przemawiać. Miała na sobie coś w rodzaju włosiennicy, bose nogi i smugę popiołu na czole. Na szczęście w tym czasie w pobliżu było niewiele osób i zanim się rozkręciła, pani Brant namówiła ją do powrotu do domu. Wieść o tym rozeszła się po wsi w godzinę, lecz jej orędzie, jakiekolwiek by było, pozostało niewygłoszone.

Midwich bardziej ze współczuciem niż zdziwieniem przyjęło niebawem wiadomość o tym, że doktor Willers zalecił pastorowej pobyt w domu opieki zdrowotnej.

Mniej więcej w połowie marca Alan i Ferrelyn przyjechali z pierwszą wizytą od ślubu. Ponieważ do czasu zwolnienia Alana z wojska Ferrelyn zamieszkała w małym szkockim miasteczku wśród zupełnie obcych ludzi, Angela była przeciwna niepokojeniu jej listownymi próbami wyjaśnienia stanu rzeczy w Midwich; tak więc teraz trzeba było wyjawić młodym prawdę.

Alan słuchał tych wyjaśnień z rosnącym niepokojem, a Ferrelyn się nie odzywała, lecz raz po raz zerkała na męża. To ona przerwała ciszę, która zapadła potem.

– Wiecie – powiedziała – przez cały czas miałam wrażenie, że coś jest nie tak. No wiecie, to nie powinno... – Urwała, gdy najwyraźniej przyszła jej do głowy nowa myśl. – Och, to okropne! Jakbym oszukała biednego Alana. To zapewne można uznać za wymuszenie, bezpodstawne roszczenie czy coś równie odrażającego. Czy to może być powód do rozwodu? O rany. Chcesz rozwodu, kochanie?

Zellaby lekko zmrużył oczy, obserwując swoją córkę.

Alan nakrył jej dłoń swoją.

– Myślę, że powinniśmy z tym trochę poczekać, nie sądzisz? – powiedział.

– Kochanie – rzekła Ferrelyn, splatając swoje palce z jego palcami.

Obróciła głowę, żeby obrzucić go przeciągłym spojrzeniem, i zauważyła minę ojca. Z determinacją zachowując nieprzenikniony wyraz twarzy, zwróciła się do Angeli i zapytała ją, jak zareagowali na to mieszkańcy wioski. Pół godziny później obie wyszły, zostawiając obu mężczyzn samych. Ledwie zamknęły się za nimi drzwi, Alan wypalił:

– Powiedziałbym, że to dla mnie cios!

– Obawiam się, że tak – przyznał Zellaby. – Jedyną pociechą może być to, że ten szok szybko mija. Najtrudniej znieść tak otwarty atak na nasze uprzedzenia – mówię o naszej płci, oczywiście. Dla kobiet jest to niestety dopiero początek kłopotów.

Alan potrząsnął głową.

– Obawiam się, że to będzie straszny cios dla Ferrelyn... i dla Angeli również – dodał pospiesznie. – Oczywiście nie można oczekiwać, że ona, to znaczy Ferrelyn, natychmiast zrozumie wszystkie konsekwencje tego faktu. Trzeba trochę czasu, żeby ogarnąć...

– Mój drogi – rzekł Zellaby – jako mąż Ferrelyn masz prawo mieć o niej swoje zdanie, ale we własnym dobrze pojętym interesie nie powinieneś jej nie doceniać. Zapewniam cię, że Ferrelyn prędzej od ciebie zdała sobie sprawę z sytuacji. I wątpię, by coś jej umknęło. Z pewnością zorientowała się dostatecznie szybko, żeby potraktować to tak lekko, ponieważ wiedziała, że martwiłbyś się o nią, gdyby wyglądała na zaniepokojoną.

– Och, naprawdę pan tak myśli? – mruknął trochę bez przekonania Alan.

– Naprawdę – odparł Zellaby. – Co więcej, postąpiła rozsądnie. Niepotrzebnie zamartwiający się mężczyzna to kłopot. Najlepsze, co może zrobić, to ukryć swój niepokój i dzielnie wspierać, służąc praktyczną i organizacyjną pomocą. Mówię ci to z własnego bogatego doświadczenia. Ponadto może reprezentować współczesną wiedzę i zdrowy rozsądek – byle taktownie. Nie masz pojęcia, ile ostatnio w tej wiosce mamy objawień, omenów, bajań starych bab, cygańskich wróżb i innych tym podobnych bzdur. Staliśmy się istną skarbnicą folkloru. Czy wiedziałeś, że w tej sytuacji nie powinieneś przechodzić przez krytą bramę cmentarną w piątek? A noszenie ubrania w zielonym kolorze graniczy z samobójstwem? Niemądre też jest spożywanie makowca. Zdajesz sobie sprawę z tego, że jeśli upuszczony nóż lub widelec wbije się w podłogę, to urodzi się wam chłopiec? Nie? Tak przypuszczałem. Jednak mniejsza z tym. Zbieram takie perełki ludowej mądrości w nadziei, że uciszę nimi moich wydawców.

Alan poniewczasie zapytał uprzejmie o postępy pracy nad dziełem. Zellaby smętnie westchnął.

– Do końca przyszłego miesiąca powinienem dostarczyć całą roboczą wersję *Brytyjskiego zmierzchu*. Na razie napisałem tylko trzy rozdziały tego studium historii nowożytnej. Gdybym sobie przypomniał ich treść, to niewątpliwie okazałaby się nieaktualna. Trudno się skupić, kiedy miecz wisi ci nad głową.

– Najbardziej dziwi mnie to, że udało się wam utrzymać to w tajemnicy. Powiedziałbym, że nie ma na to szans – rzekł Alan.

– Ja też tak mówiłem – przyznał Zellaby. – I wciąż się dziwię. Myślę, że można to uznać za coś w rodzaju nowej wersji baśni o szatach cesarza lub goebbelsowskiego stukrotnie powtórzonego kłamstwa; prawda jest zbyt oczywista, by w nią uwierzyć. Zwróć jednak uwagę, że w Oppley i Stouch mówią o niektórych z nas brzydkie rzeczy, więc coś zauważyli, chociaż chyba nie mają pojęcia, jaka jest skala wydarzeń. Mówiono mi, że w obu tych miejscowościach uważają, że my wszyscy tutaj oddajemy się orgiastycznemu szaleństwu tradycyjnie związanemu z wiejskim Halloween. W każdym razie niektórzy niemal sztywnieją na nasz widok. Muszę przyznać, że nasi dotychczas w sposób godny pochwały nie dają się sprowokować.

– Czy chce pan powiedzieć, że zaledwie milę czy dwie stąd nikt nie ma pojęcia, co się naprawdę stało? – spytał z niedowierzaniem Alan.

– Tego bym nie powiedział; raczej nie chcą w to uwierzyć. Podejrzewam, że doskonale znają całą tę historię, ale wolą wierzyć, że to bajeczka, która ma ukryć coś bardziej prozaicznego, ale haniebnego. Willers słusznie mówił o odruchu samoobronnym, który nie pozwala ludziom zaakceptować niepokojących faktów... chyba że poda je prasa. Oczywiście wtedy osiemdziesiąt lub dziewięćdziesiąt procent czytelników zachowa się wręcz przeciwnie i uwierzy we wszystko. Cyniczne nastawienie mieszkańców innych wsi jest naprawdę pomocne. Dzięki temu gazety nie dowiedzą się, co się tu dzieje, chyba że poinformuje je ktoś z naszej wioski. Najbardziej napięta atmosfera panowała tu przez pierwszy tydzień czy dwa po spotkaniu w świetlicy. Kilku mężów trudno było okiełznać, ale uspokoili się, kiedy wybiliśmy im z głów, że jest to jakieś wymyślne oszustwo, i odkryli, że nikt z pozostałych nie może się z nich nabijać. Rozłam między pannami Lamb i Latterly zakończył się po paru dniach, gdy panna Latterly otrząsnęła się z szoku i otoczyła pannę Lamb czułą opieką, którą trudno odróżnić od tyranii. Przez pewien czas naszą czołową buntowniczką była Tilly... Och, na pewno widziałeś Tilly Foresham – w bryczesach, swetrze z golfem, kurtce do konnej jazdy, miotaną tu i tam przez kaprysy losu w postaci trzech golden retrieverów... Tilly przez jakiś czas gniewnie twierdziła, że nie miałaby nic przeciwko temu, gdyby lubiła dzieci, ale ponieważ woli szczeniaki, cała ta sprawa jest dla niej szczególnie trudna. Teraz jednak chyba się poddała, chociaż niechętnie.

Zellaby przytoczył jeszcze kilka anegdot związanych z tą nadzwyczajną sytuacją i na zakończenie przytoczył tę o pannie Ogle, którą ledwie udało się odwieść od wpłacenia pierwszej raty na najbardziej okazały wózek dziecięcy, jaki można było kupić w Trayne.

Po chwili milczenia Alan zapytał:

– Powiedział pan, że blisko dziesięć kobiet, które mogły zajść w ciążę, nie zaszło w nią?

– Owszem. I pięć z nich było w autobusie na drodze z Oppley, bacznie obserwowanej podczas Komy, co przynajmniej obala teorię o jakimś zapładniającym gazie, którą poniektórzy byli gotowi uznać za jeden z nowych koszmarnych wynalazków naszych czasów – poinformował go Zellaby.

ROZDZIAŁ 11

Dobra robota, Midwich

„Naprawdę bardzo mi przykro – napisał do mnie na początku maja Bernard Westcott – że okoliczności nie pozwalają na złożenie waszej wsi oficjalnych i w pełni zasłużonych gratulacji z powodu skutecznie wykonanej akcji. Została przeprowadzona dyskretnie i w poczuciu społecznej odpowiedzialności, która, szczerze mówiąc, nas zaskoczyła; większość z nas tutaj uważała, że będzie konieczne podjęcie oficjalnych działań. Obecnie, zaledwie siedem tygodni przed dniem D, mamy nadzieję, że obejdzie się bez nich.

Dotychczas najbardziej niepokoił nas problem zatrudnionej u pana Crimma panny Frazer, choć można powiedzieć, że niewywołany przez nikogo z Midwich ani nawet przez nią samą.

Jej ojciec, emerytowany komandor marynarki wojennej, agresywny i wojowniczy, postanowił narobić zamieszania – zadać w Izbie Gmin szereg pytań dotyczących rozwiązłych obyczajów i orgii w instytucjach państwowych. Najwyraźniej chciał rzucić córkę na pastwę pismaków z Fleet Street. Na szczęście w porę skłoniliśmy kilka bardzo wpływowych osób, żeby przemówiły mu do rozumu. Jak uważasz? Czy Midwich jakoś to przetrwa?"

Na to niełatwo było odpowiedzieć. Uważałem, że są na to duże szanse, jeśli nie dojdzie do jakichś niespodziewanych perturbacji; z drugiej strony nie można było ignorować nieustannej groźby wybuchu wywołanego przez jakiś drobiazg.

Zdarzały się wzloty i upadki, ale zdołaliśmy sobie z nimi poradzić. Czasem wydawały się pojawiać znikąd i rozprzestrzeniać jak infekcja. Raz już wydawało się, że wybuchnie panika, ale kryzys zażegnał doktor Willers, który pospiesznie zorganizował aparaturę diagnostyczną i dowiódł, że wszystko przebiega normalnie.

Panującą w maju atmosferę można by nazwać umiarkowanie optymistyczną, z kilkoma przejawami niecierpliwego wyczekiwania. Doktor Willers, zwykle gorąco zalecający pacjentkom poród w szpitalu w Trayne, teraz zmienił zdanie. Po pierwsze, ponieważ to przekreśliłoby wszelkie dotychczasowe starania, aby utrzymać sprawę w tajemnicy – szczególnie gdyby noworodki w jakiś sposób odbiegały od normy. Po drugie, szpital w Trayne nie miał wystarczającej liczby łóżek, żeby przyjąć wszystkie zgłaszające się jednocześnie mieszkanki Midwich, co samo w sobie z pewnością wzbudziłoby powszechne zainteresowanie. Dlatego Willers dwoił się i troił, żeby jak najlepiej zorganizować wszystko na miejscu. Pielęgniarka Daniels również była niestrudzona i cała wioska mogła tylko dziękować Bogu, że przypadkiem nie było jej w Midwich podczas Komy. Wiedziano, że przez pierwszy tydzień czerwca Willersowi będzie pomagał zaangażowany chwilowo asystent, a później kilka położnych pracujących na umowę zlecenie. Salka narad w świetlicy Midwich została zaanektowana na bazę zaopatrzeniową i już umieszczono w niej kilka dużych kartonów dostarczonych przez różne firmy farmaceutyczne.

Pan Leebody także pracował do upadłego. Okazywano mu wiele współczucia z powodu małżonki i darzono większą estymą niż kiedykolwiek wcześniej. Pani Zellaby dzielnie podtrzymywała solidarność mieszkańców i wspomagana przez Janet wciąż głosiła, że Midwich powinno napotkać to, co nastąpi, zgodnie i bez obaw. Sądzę, że to głównie dzięki ich wysiłkom do tej pory nie mieliśmy poważnych problemów psychosomatycznych – pomijając przypadek pani Leebody i paru innych osób.

Zellaby działał, czego należało się spodziewać, na nieco trudniejszym do zdefiniowania polu, między innymi w charakterze, jak to opisywał, głównego likwidatora wróżb z fusów i kryształowych kul i wykazywał niezwykły talent do obalania bezsensownych twierdzeń bez antagonizowania ich autorów. Można rzec, że zawsze służył także pomocą, gdy była potrzebna.

Pan Crimm wciąż martwił się o swoją sekcję. Słał coraz bardziej ponaglające skargi do Bernarda Westcotta, aż w końcu oznajmił, że tylko szybkie przekazanie nadzoru nad nią Ministerstwu Wojny pozwoli uniknąć skandalu, który wstrząśnie administracją państwową. Wyglądało na to, że Bernard próbuje tego dokonać, jednocześnie przypominając, że cała ta sprawa musi być utrzymana w tajemnicy, jak długo się da.

– Co z punktu widzenia mieszkańców Midwich – rzekł pan Crimm, wzruszając ramionami – jest jak najbardziej pożądane. Wciąż jednak ni cholery nie rozumiem, jakie to ma znaczenie dla wywiadu.

W połowie maja nastąpiła wyczuwalna zmiana. Dotychczas atmosfera w Midwich nieźle harmonizowała z rozkwitającą wokół wiosną. Byłoby przesadą stwierdzić, że teraz przestała z nią współgrać, ale uległa pewnemu wyciszeniu. Dawał się wyczuć lekki dystans; nuta melancholii.

– Powinniśmy – powiedział pewnego dnia Willers do Zellaby'ego – natężyć żyły, w sercu krew zapalić*.

– Nie wszystkie cytaty – rzekł Zellaby – brzmią lepiej wyrwane z kontekstu, ale rozumiem, o co panu chodzi. Jedno, co bynajmniej nie poprawia sytuacji, to gadanina głupich starych bab. A w tej sytuacji staruchy mają po temu wyjątkowo dobrą okazję. Powinno się jakoś je powstrzymać.

– To tylko jedno z zagrożeń. Jest ich znacznie więcej.

Zellaby przez chwilę rozmyślał ponuro, po czym rzekł:

– No cóż, możemy tylko działać dalej. Chyba i tak dobrze się spisaliśmy, skoro do tej pory nie mieliśmy większych problemów.

– Znacznie lepiej, niż można by oczekiwać, i niemal całkowicie dzięki pani Zellaby – powiedział mu lekarz.

Zellaby zawahał się, po czym podjął decyzję.

– Trochę się o nią martwię, Willers. Zastanawiam się, czy mógłby pan... no cóż, przeprowadzić z nią rozmowę.

– Rozmowę?

– Ona niepokoi się bardziej, niż daje po sobie poznać. Wyszło to na jaw pewnego wieczoru, kilka dni temu. Bez konkretnego powodu. Spojrzałem na nią i zobaczyłem, że patrzy na mnie tak, jakby mnie nienawidziła. Wcale tak nie jest, wie pan... Nagle, jakbym coś powiedział, wypaliła: „Mężczyzna może się nie przejmować. Nie musi przez to przechodzić i wie, że nigdy nic będzie musiał. Jak może to zrozumieć? Może mieć najlepsze chęci, ale zawsze będzie postronną osobą. Nigdy nie będzie wiedział, jak to jest, nawet gdy wszystko przebiega

---

* William Szekspir, *Król Henryk V*, akt III, scena 1, przeł. Leon Ulrich (przyp. tłum.).

w normalny sposób – więc jakie może mieć o tym pojęcie? O tym, jak się czuje kobieta, leżąc bezsennie w nocy z upokarzającą świadomością, że jest wykorzystywana? Jakby nie była osobą, tylko jakimś urządzeniem, czymś w rodzaju inkubatora… I zastanawia się godzinami, co noc, czym – po prostu czym będzie to, co jest zmuszona wydać na świat. To oczywiste, że nie możecie nas zrozumieć – bo jakbyście mogli! To takie poniżające i nieznośne. Chyba się załamię. Wiem, że tak będzie. Dłużej tego nie wytrzymam". – Zellaby zamilkł i pokręcił głową. – Tak cholernie niewiele można zrobić. Nie próbowałem jej uciszyć. Pomyślałem, że poczuje ulgę, kiedy wyrzuci to z siebie. Jednak chciałbym, żeby pan z nią porozmawiał, przekonał ją. Ona wie, że wszystkie badania wykazują normalny rozwój płodu, ale mimo to wbiła sobie do głowy, że powinno to być oficjalnie potwierdzone. Sądzę, że to by ją uspokoiło.

– Dzięki Bogu naprawdę tak jest – powiedział lekarz. – Do diabła, nie wiem, co bym zrobił w przeciwnym razie, ale na pewno bylibyśmy w zupełnie innej sytuacji. Zapewniam pana, że pacjentki mogą być równie spokojne jak ja. Niech się pan nie obawia, uspokoję pana małżonkę – przynajmniej w tej kwestii. Nie ona pierwsza tak pomyślała i na pewno nie ostatnia. Jednak gdy tylko uporamy się z tym problemem, kobiety znajdą sobie nowe powody do zmartwienia. Czekają nas bardzo, bardzo trudne chwile…

Po tygodniu przepowiednia doktora Willersa okazała się, łagodnie mówiąc, zbyt optymistyczna. Niemal namacalne napięcie udzieliło się wszystkim i rosło z każdym dniem. Pod koniec tygodnia wspólny front Midwich dramatycznie osłabł. Samopomoc okazała się niewystarczająca i pan Leebody musiał dźwigać coraz cięższe brzemię społecznego niepokoju. Nie szczędził wysiłków. Codziennie odprawiał dodatkowe nabożeństwa, a przez resztę dnia odwiedzał parafian, dodając im otuchy.

Zellaby czuł się niepotrzebny. Racjonalizm znalazł się w niełasce. Zellaby był niezwykle jak na niego milczący i stałby się niewidzialny, gdyby mógł.

– Czy zauważył pan – zapytał, zaszedłszy pewnego wieczoru do domu pana Crimma – jak one gniewnie na nas patrzą? Zupełnie jakbyśmy wyprosili u Stwórcy, żeby obdarzył nas odmienną płcią. Czasem jest to bardzo denerwujące. Czy tak samo jest w The Grange?

– Zaczynało być – przyznał pan Crimm – ale parę dni temu wysłaliśmy wszystkie na urlop. Te, które tu mieszkają, poszły do domów. Pozostałe umieszczono w kwaterach przygotowanych przez doktora. W rezultacie praca idzie sprawniej. Wcześniej sytuacja z każdym dniem stawała się trudniejsza.

– Oględnie powiedziane – rzekł Zellaby. – Wprawdzie nigdy nie pracowałem w wytwórni fajerwerków, ale mogę sobie wyobrazić, jak to jest, kiedy człowiek czuje, że w każdej chwili może się stać coś nieprzewidzianego i strasznego. I nie można temu zaradzić, pozostaje jedynie czekać i mieć nadzieję, że to się nie zdarzy. Naprawdę nie mam pojęcia, jak przetrwamy jeszcze miesiąc.

Wzruszył ramionami i pokręcił głową.

Jednak w tym samym momencie, gdy Zellaby kręcił głową, sytuacja uległa niespodziewanej poprawie.

Ponieważ pannie Lamb, która teraz co wieczór wychodziła na krótki spacer pod czujną opieką panny Latterly, przydarzył się nieszczęśliwy wypadek. Jedna z butelek z mlekiem równo ustawionych przed tylnymi drzwiami ich domu w niewiadomy sposób się przewróciła i gdy obie damy wychodziły, panna Lamb stanęła na niej. Butelka przeturlała się i panna Lamb upadła...

Panna Latterly wniosła ją z powrotem do domu i pośpieszyła do telefonu...

Pani Willers wciąż czekała na małżonka, gdy ten wrócił pięć godzin później. Usłyszała podjeżdżający samochód i gdy otworzyła drzwi, mąż stał w progu, z ubraniem w nieładzie, i mrużył oczy w świetle padającym z holu. Tylko raz czy dwa razy w ciągu całego ich małżeńskiego życia widziała go w takim stanie, więc złapała go za rękę zaniepokojona.

– Charley. Charley, kochanie, co się stało? Czy...?

– Spiłem się, Milly. Przepraszam. Nie zwracaj na mnie uwagi – rzekł.

– Och, Charley! Czy dziecko...?

– Odreagowałem, moja droga. Tylko odreagowałem. Z dzieckiem wszystko w porządku. Nic mu nie jest. Zupełnie nic. Jest doskonałe.

– Och, dzięki Bogu! – wykrzyknęła pani Willers, która pragnęła tego z nabożnym żarem.

– Ma złociste oczy – powiedział jej mąż. – Zabawne... ale nic nie mamy przeciwko złocistym oczom, prawda?

– Nie, mój drogi, oczywiście, że nie.

– Doskonałe, oprócz tych złocistych oczu. Nic mu nie jest.

Pani Willers pomogła mu zdjąć płaszcz i zaprowadziła do salonu. Opadł na fotel i siedział nieruchomo, patrząc w dal.

– T-to głupie, no nie? – powiedział. – Tyle niepokoju. A teraz wszystko w porządku. Ja... ja... ja...

Nagle się rozpłakał i ukrył twarz w dłoniach.

Pani Willers usiadła na poręczy fotela i położyła dłoń na ramieniu męża.

– Już dobrze, dobrze, kochanie. Wszystko w porządku, mój drogi. Już po wszystkim.

Obróciła jego twarz do swojej i ucałowała go.

– Mogły być czarne, piwne, zielone, albo jak u małpy. Prześwietlenie tego nie wykazuje – rzekł. – Jeśli kobiety z Midwich uspokoi dziecko panny Lamb, powinny ufundować jej ołtarzyk w kościele.

– Wiem, mój drogi, wiem. Jednak nie musisz się już tym martwić. Powiedziałeś, że dziecko jest doskonałe.

Doktor Willers kilkakrotnie z emfazą kiwnął głową.

– To prawda. Doskonałe – powtórzył i jeszcze raz kiwnął głową. – Tylko te złociste oczy. Złociste oczy są w porządku. Doskonałe... Owieczki, moja droga, owieczki mogą paść się spokojnie... spokojnie... O Boże, jaki jestem zmęczony, Milly...

Miesiąc później Gordon Zellaby chodził tam i z powrotem po poczekalni najlepszej kliniki w Trayne, od czasu do czasu zatrzymując się i siadając. Wiedział, że takie zachowanie nie przystoi mężczyźnie w jego wieku. Niewątpliwie jak najbardziej pasuje młodemu człowiekowi, ale kilka ostatnich tygodni uświadomiło mu, że nie jest już młodzieniaszkiem. Czuł się dwukrotnie starszy, niż był naprawdę. Pomimo to, gdy dziesięć minut później zjawiła się pielęgniarka w wykrochmalonym fartuchu, zastała go znów krążącego po poczekalni.

– To chłopiec, panie Zellaby – powiedziała. – I pani Zellaby kazała mi powiedzieć panu, że maluszek ma nos Zellabych.

ROZDZIAŁ 12

Plon

Było piękne popołudnie w ostatnim tygodniu lipca, gdy wychodzący z poczty Gordon Zellaby napotkał niewielką grupkę osób wracających z kościoła. W jej środku szła dziewczyna niosąca niemowlę opatulone białym wełnianym szalem. Wyglądała bardzo młodo jak na matkę; bardziej jak uczennica. Zellaby życzliwie uśmiechnął się do nich, a oni do niego, lecz kiedy go minęli, ze smutkiem odprowadził wzrokiem młodziutką dziewczynę niosącą dziecko.

Gdy zbliżał się do zadaszonej bramy przykościelnego cmentarza, napotkał wielebnego Huberta Leebody'ego.

– Witam, pastorze. Widzę, że wciąż werbuje pan trzódkę – zauważył.

Pan Leebody powitał go, skinął głową i poszli dalej razem.

– Teraz jest już łatwiej – powiedział. – Zostało jeszcze tylko dwoje lub troje.

– I będzie stuprocentowy sukces?

– Prawie. Muszę wyznać, że nie spodziewałem się tego, ale

przypuszczam, że choć to bynajmniej nie normalizuje sytuacji, to w znacznym stopniu ją łagodzi. Co mnie cieszy. – Po chwili dodał refleksyjnie: – Młoda Mary Histon wybrała dla dziecka imię Theodore. O ile wiem, wybrała je sama. Muszę rzec, że nawet mi się to podoba.

Zellaby zastanawiał się chwilę, a potem skinął głową.

– Mnie też, pastorze. Bardzo mi się to podoba. I wie pan, że w pełni zasłużył pan na ten zaszczyt.

Pan Leebody wyglądał na zadowolonego, ale pokręcił głową.

– Nie dla mnie – rzekł. – To, że tak młoda dziewczyna jak Mary nazwała swojego synka „darem Bożym" zamiast się go wstydzić, przynosi zaszczyt całej wiosce.

– Jednak wiosce trzeba było pokazać właściwą drogę.

– To była praca zespołowa – odparł pastor. – Całej grupy, którą doskonale kierowała pani Zellaby.

Przeszli w milczeniu kilka kroków, po czym Zellaby rzekł:

– Pomimo to pozostaje faktem, że jakkolwiek traktuje to ta dziewczyna, została okradziona. Nagle przeniesiona z dzieciństwa w dorosłość. Uważam, że to smutne. Nie miała szansy rozwinąć skrzydeł. Ominął ją czas poetyckich uniesień.

– Chciałbym się z tym zgodzić, ale przyznam, że w to wątpię – powiedział pan Leebody. – Nie tylko dlatego, że w dzisiejszych czasach poetyckie uniesienia są rzadkością, ale ponieważ szybciej, niż chcielibyśmy, przechodzi się od lalek do niemowląt.

Zellaby z ubolewaniem potrząsnął głową.

– Zapewne ma pan rację. Przez całe życie potępiałem germański sposób traktowania kobiet i dziewięćdziesiąt procent z nich udowadniało mi, że go aprobuje.

– Z pewnością niektórych z niczego nie okradziono – zauważył pan Leebody.

– Ma pan rację. Właśnie pomyślałem o pannie Ogle. Ona

jest tego przykładem. Może wciąż jest trochę zaskoczona, ale zadowolona. Można by pomyśleć, że bezwiednie dokonała tego sama, jak za dotknięciem magicznej różdżki. – Milczał chwilę, po czym dodał: – Moja żona mówi, że pani Leebody za kilka dni wróci do domu. Bardzo miło nam to słyszeć.

– Tak. Lekarze są bardzo zadowoleni. Szybko dochodzi do siebie.

– A z dzieckiem wszystko w porządku?

– Tak – odparł pan Leebody, trochę niepewnie. – Ona je uwielbia.

Zatrzymał się przy bramie prowadzącej do ogrodu otaczającego duży dom stojący w sporej odległości od drogi.

– Ach, tak. – Zellaby pokiwał głową. – A jak się ma panna Foresham?

– W tym momencie jest bardzo zajęta. Jej suka się oszczeniła. Tilly nadal utrzymuje, że niemowlę jest mniej interesujące niż szczenięta, ale mam wrażenie, że słabnie w tym przekonaniu.

– Oznaki tego widać u nawet najbardziej oburzonych – potwierdził Zellaby. – Natomiast ja, jako mężczyzna, zauważam u siebie lekką apatię i coś w rodzaju pobitewnego znużenia.

– Bo to była bitwa – przyznał pan Leebody. – Jednak bitwy w końcu są tylko kulminacyjnymi momentami kampanii. Jeszcze kilka przed nami.

Zellaby spojrzał na niego badawczo. Pan Leebody ciągnął:

– Co to są za dzieci? Jest coś dziwnego w tym, jak patrzą tymi ciekawskimi oczami. No wie pan... przecież to obcy. – Zawahał się, po czym dodał: – Zdaję sobie sprawę, że nie przemawia do pana taki sposób myślenia, ale nie mogę się oprzeć wrażeniu, że miał to być jakiś rodzaj sprawdzianu.

– Przeprowadzony przez kogo? – spytał Zellaby.

Pan Leebody tylko pokręcił głową.

– Zapewne nigdy się nie dowiemy. Jednak to już był dla nas

pewien sprawdzian. Mogliśmy przecież odmówić w nim udziału, ale zaakceptowaliśmy to jako nasz problem.

– Miejmy nadzieję – rzekł Zellaby – że postąpiliśmy słusznie.

– A co innego mogliśmy...?

– Nie wiem. Skąd mamy to wiedzieć w przypadku... obcych? W końcu się rozstali; pan Leebody poszedł z wizytą, a Zellaby kontynuował przechadzkę, rozmyślając. Dopiero gdy dochodził do Błonia, otrząsnął się z zadumy i zauważył w oddali panią Brinkman. Szybko zbliżała się z naprzeciwka, pchając przed sobą nowiutki wózek dziecięcy, ale nagle stanęła jak wryta, z bezradną i zaniepokojoną miną spoglądając na dziecko. Potem wyjęła je i zaniosła do znajdującego się kilka jardów dalej pomnika ofiar wojny. Usiadła na drugim schodku, rozpięła bluzkę i zaczęła karmić niemowlę.

Zellaby nie przerwał spaceru. Przechodząc obok, uchylił kapelusza. Pani Brinkman wyraźnie się zirytowała i zarumieniła, ale nie przestała karmić. Nagle, jakby coś powiedział, wypaliła:

– To chyba zupełnie naturalne, nieprawdaż?

– Szanowna pani, to klasyczny przejaw macierzyństwa. Jeden z wielkich symboli – zapewnił ją Zellaby.

– Zatem niech pan odejdzie – powiedziała i nagle zaczęła płakać.

Zellaby się zawahał.

– Czy mogę jakoś pomóc?

– Tak. Niech pan odejdzie – powtórzyła. – Chyba pan nie sądzi, że chcę robić z siebie widowisko? – dodała we łzach.

Zellaby stał niezdecydowanie.

– Jest głodna – powiedziała pani Brinkman. – Zrozumiałby pan, gdyby pańskie dziecko było jednym z tych po Komie. A teraz proszę odejść!

Najwyraźniej nie była to odpowiednia chwila, by drążyć temat. Zellaby ponownie uchylił kapelusza i zrobił, co mu kazano. Poszedł dalej, marszcząc brwi ze zdziwienia, ponieważ zrozumiał, że coś mu umknęło; coś przed nim ukrywano.

W połowie drogi do Kyle Manor zszedł na pobocze, usłyszawszy nadjeżdżający z tyłu samochód. Pojazd jednak nie minął go, lecz się zatrzymał. Zellaby odwrócił się, sądząc, że zobaczy furgonetkę dostawczą, lecz to był czarny samochód osobowy z Ferrelyn za kierownicą.

– Kochanie – powiedział – jakże miło cię widzieć! Nie wiedziałem, że przyjedziesz. Wolałbym wiedzieć wcześniej.

Jednak Ferrelyn nie odpowiedziała uśmiechem na jego uśmiech. Była blada i wyglądała na zmęczoną.

– Nikt nie wiedział, że przyjadę – nawet ja sama. Wcale nie zamierzałam przyjechać. – Spojrzała na dziecko w nosidełku na fotelu pasażera. – On mi kazał – powiedziała.

ROZDZIAŁ 13

Powroty

Następnego dnia do Midwich najpierw wróciła doktor Margaret Haxby z Norwich, ze swoim dzieckiem. Panna Haxby nie należała już do personelu The Grange, ponieważ zwolniła się dwa miesiące wcześniej, pomimo to udała się tam, żądając zakwaterowania. Dwie godziny później z sąsiedniego Gloucester przybyła Diana Dawson, również z dzieckiem, i także domagała się zakwaterowania. Z tym był trochę mniejszy problem niż w przypadku panny Haxby, ponieważ nadal była pracownicą ośrodka, chociaż miała wrócić do pracy dopiero kilkanaście tygodni później. Jako trzecia zjawiła się panna Polly Rushton z Londynu, z dzieckiem i bliska rozpaczy, z mieszanymi uczuciami prosząc o pomoc i zakwaterowanie swojego wuja, wielebnego Huberta Leebody'ego.

Dzień później przybyły jeszcze dwie byłe pracownice The Grange ze swoimi dziećmi, przyznając, że zrezygnowały z pracy, ale jednocześnie jasno dając do zrozumienia, że obowiązkiem The Grange jest znaleźć im jakieś pokoje w Midwich. Po południu niespodziewanie zjawiła się ze swoim dzieckiem pani Dorry, która wyjechała do Davenport, żeby być przy oddelegowanym tam mężu, a teraz wróciła do swojego domu w Midwich.

Następnego dnia z Durham przyjechała z dzieckiem ostatnia brakująca pracownica ośrodka. Ona również formalnie była na urlopie, ale zażądała, by znaleziono jej jakieś mieszkanie. Jako ostatnia zjawiła się panna Latterly, która pospiesznie wróciła z dzieckiem panny Lamb z Eastbourne, do którego zawiozła przyjaciółkę na rekonwalescencję.

Ten gwałtowny napływ przyjęto w rozmaity sposób. Pan Leebody ciepło powitał siostrzenicę, widząc w tym okazję do poprawy stosunków. Doktor Willers był zaniepokojony i zakłopotany – tak samo jak pani Willers, która obawiała się, że to skłoni go do przełożenia bardzo potrzebnego wakacyjnego wyjazdu, który mu zorganizowała. Gordon Zellaby obserwował wszystko z chłodnym dystansem, jak interesujące zjawisko. Niewątpliwie pod największym naciskiem był pan Crimm. Ustawicznie miał znękaną minę.

Wysłaliśmy do Bernarda szereg pilnych wiadomości. Janet i ja uważaliśmy, że zapewne najgorsze już minęło i niemowlęta przyszły na świat, nie budząc ogólnokrajowego zainteresowania, ale jeśli wciąż chce uniknąć rozgłosu, to należy niezwłocznie rozwiązać ten nowo powstały problem. Trzeba opracować solidny, oficjalny plan opieki nad dziećmi.

Pan Crimm utrzymywał, że nieprawidłowości w aktach osobowych jego personelu osiągnęły rozmiary przekraczające jego możliwości kontroli i wymagają interwencji na wysokim szczeblu, bo inaczej wkrótce podniesie się potworna wrzawa.

Doktor Willers uznał za konieczne wysłanie trzech raportów. Pierwszy był napisany z użyciem fachowej terminologii i przeznaczony do akt. W drugim wyrażał swoją opinię w bardziej zrozumiałym języku, dla laików. Między innymi napisał:

„Stuprocentowa przeżywalność noworodków, której rezultatem są narodziny trzydziestu jeden chłopców i trzydziestu dziewczynek, pozwala na jedynie pobieżne badania, ale u wszystkich zauważono następujące cechy wspólne:

Najbardziej uderzające są ich oczy. Wydają się mieć zupełnie normalną budowę, lecz ich tęczówka ma unikatowy – o ile mi wiadomo – jasnozłocisty i niemal fluorescencyjny kolor, taki sam u wszystkich.

Ich włosy, zdecydowanie miękkie i gęste, mogę opisać jako lekko ciemnoblond. Oglądany pod mikroskopem włos jest z jednej strony niemal płaski, a z drugiej wypukły, tak że przekrój ma kształt wąskiej litery D. Próbki pobrane od ośmiorga dzieci są identyczne. W dostępnej literaturze fachowej nie znalazłem żadnej wzmianki o odkryciu tego rodzaju włosów. Paznokcie u palców rąk i nóg są trochę węższe niż zwykle, ale nie zapowiadają przekształcenia się w szpony – w istocie można by uznać je za nieco bardziej spłaszczone niż normalnie. Kształt potylicy może być trochę niezwykły, lecz jest jeszcze za wcześnie, aby to definitywnie stwierdzić.

W poprzednim sprawozdaniu zakładano, że te cechy mogą być skutkiem jakiegoś procesu ksenogenzy. Niezwykłe podobieństwo wszystkich tych dzieci, fakt, że z pewnością nie są hybrydami żadnego znanego gatunku, a także okoliczności ich poczęcia moim zdaniem dowodzą słuszności tej tezy. Dodatkowy dowód na jej poparcie być może uzyskamy po zbadaniu grup krwi – przeprowadzonym po tym, jak na wyniki przestanie wpływać krążąca w żyłach dzieci krew matek.

Nie zdołałem znaleźć żadnego udokumentowanego przypadku ludzkiej ksenogenzy, ale nie widzę powodu, żeby nie była możliwa. Oczywiście matki tych dzieci dostrzegły taką możliwość. Lepiej wykształcone całkowicie zaakceptowały tezę, że są raczej nosicielkami niż rzeczywistymi matkami; gorzej wykształcone uznały to za poniżające, więc są skłonne ignorować taką ewentualność.

Podsumowując: wszystkie te dzieci wydają się idealnie zdrowe, chociaż nie tak pulchne, jak można by oczekiwać; stosunek wielkości głowy do czaszki jest taki, jaki zwykle występuje u nieco starszych dzieci; dziwny, nieco srebrzysty odcień skóry zaniepokoił niektóre matki, ale jest powszechny i wydaje się najzupełniej normalny".

Po przeczytaniu reszty raportu Janet zaatakowała doktora.

– Niech pan się temu przyjrzy – powiedziała. – A co z powrotem wszystkich matek do Midwich pod wpływem wewnętrznego przymusu? Nie może pan tego pominąć.

– To objaw histerii prowadzącej do zbiorowej halucynacji – zapewne krótkotrwałej – rzekł Willers.

– Przecież wszystkie matki, wykształcone czy nie, zgodnie twierdzą, że te dzieci mogą i wywołują jakiś wewnętrzny przymus. Te kobiety, które stąd wyjechały, wcale nie chciały tu wracać; wróciły, ponieważ musiały. Rozmawiałam z nimi wszystkimi i wszystkie powiedziały mi, że nagle poczuły głęboki niepokój – nieodpartą potrzebę, którą mógł uśmierzyć tylko powrót tutaj. Opisują to w rozmaity sposób, ponieważ objawy były różne: jedna mówiła, że miała duszności, inna porównywała to do głodu lub pragnienia, a jeszcze inna do potwornego hałasu rozdzierającego uszy. Ferrelyn mówi, że po prostu była strasznie podenerwowana. Jednak cokolwiek czuły, uważały, że ma to związek z dziećmi i minie, jeśli przywiozą je tutaj. To dotyczy także panny Lamb. Ona czuła to samo, ale leżała wtedy chora w łóżku i nie mogła przyjechać. Cóż więc się stało? Wewnętrzny przymus poczuła panna Latterly i nie mogła mu się oprzeć; musiała zastąpić pannę Lamb i przywieźć tutaj dziecko. Kiedy oddała je pod opiekę panny Brant, uwolniła się od tego przymusu i mogła wrócić do panny Lamb w Eastbourne.

– Jeśli – rzekł z naciskiem doktor Willers – jeśli weźmiemy pod uwagę, że są to bajania starych czy młodych bab, jeśli będziemy pamiętać, że większość kobiecych zajęć to okropne nudy, które tak wyjaławiają umysł, że nawet najmniejsze ziarenko, które w nie padnie, urasta do gigantycznych rozmiarów, to nie zdziwią nas odległe od rzeczywistości i logiki poglądy, których wymowa jest bardziej symboliczna niż dosłowna. Bo cóż my tu mamy? Grupę kobiet będących ofiarami niezwykłego i dotychczas niewyjaśnionego zjawiska, którego rezultatem jest grupa niemowląt niepodobnych do innych dzieci. W wyniku znanej nam wszystkim dychotomii myślenia kobieta chce, by jej dziecko było najzupełniej normalne, a jednocześnie lepsze od wszystkich innych dzieci. Tak więc, gdy któraś z kobiet z tej grupy zostaje odizolowana od pozostałych, nieuchronnie zaczyna sobie uświadamiać, że jej złotookie dziecko nie jest zupełnie normalne w porównaniu z innymi dziećmi, które widuje. Nieświadomie przyjmuje obronną pozycję i trwa na niej aż do chwili, gdy musi pogodzić się z faktem lub wyidealizować rzeczywistość. Żeby wyidealizować rzeczywistość, najlepiej jest przenieść nieprawidłowość do środowiska, w którym nie wydaje się nieprawidłowością – jeśli takowe miejsce istnieje. W tym wypadku jest takie, jedno i jedyne – Midwich. Tak więc te kobiety wracają tu ze swoimi dziećmi i na jakiś czas cała ta sytuacja zostaje pozornie wyjaśniona.

– Wydaje mi się, że istotnie mamy tu do czynienia z pozornym wyjaśnieniem – powiedziała Janet. – A co z panią Welt?

To pytanie dotyczyło niedawnego zdarzenia – otóż pani Brant pewnego ranka weszła do sklepu pani Welt i zastała ją zapłakaną, raz po raz nakłuwającą agrafką swoje ciało. To zaniepokoiło panią Brant, więc zaciągnęła biedaczkę do Willersa. Doktor podał jej jakiś środek uspokajający, a gdy poczuła się lepiej, wyjaśniła, że zmieniając dziecku pieluszkę, przypadkiem ukłuła je agrafką. Po czym, jak powiedziała, dziecko tylko zmierzyło ją nieruchomym spojrzeniem tych złocistych oczu i zmusiło, by sama zaczęła się kłuć.

– No nie, naprawdę! – zaprotestował teraz doktor Willers. – Jeśli może mi pani podać lepszy przykład histerycznej skruchy – z wyjątkiem włosiennic i tym podobnych rzeczy – to chętnie go usłyszę.

– Harriman to też histeryk? – naciskała Janet.

Ponieważ Harriman pewnego dnia pojawił się w opłakanym stanie w przychodni doktora Willersa. Miał złamany nos, parę wybitych zębów i podbite oczy. Powiedział, że został napadnięty przez trzech nieznanych mężczyzn – ale nikt tu takich nie widział. Natomiast dwaj mieszkający w Midwich chłopcy twierdzili, że widzieli przez okno, jak Harriman wściekle okładał się pięściami. A następnego dnia ktoś zauważył siniak na twarzy jego dziecka.

Doktor Willers wzruszył ramionami.

– Wcale bym się nie zdziwił, gdyby Harriman twierdził, że zaatakowało go stado różowych słoni – rzekł.

– No cóż, jeśli pan o tym nie wspomni, napiszę dodatkowy raport – powiedziała Janet.

I tak zrobiła. Zakończyła następującymi słowami:

„Moim zdaniem, a także według wszystkich innych poza doktorem Willersem, nie jest to przejaw histerii, lecz po prostu fakt. Moim zdaniem należy przyjąć go do wiadomości, a nie uzasadniać. Powinien zostać zbadany i wyjaśniony. Ludzie o słabej woli są skłonni traktować go zabobonnie i przypisywać dzieciom jakieś magiczne moce. Takie bzdury nie prowadzą do niczego dobrego i zachęcają do tego, co Zellaby nazywa gadaniną starych bab. Należy przeprowadzić bezstronne śledztwo”.

Śledztwo, chociaż w bardziej ogólnikowy sposób, zalecał także doktor Willers w trzecim raporcie, który przybrał formę gwałtownego protestu:

„Po pierwsze, nie rozumiem, dlaczego wywiad wojskowy w ogóle interesuje się tą sprawą; po drugie, dlaczego najwyraźniej leży ona wyłącznie w jego kompetencji, co jest oburzające.

Taki stan rzeczy jest zdecydowanie niewłaściwy. Ktoś powinien przeprowadzić dokładne badania tych dzieci – oczywiście ja prowadzę notatki, ale są to tylko spostrzeżenia lekarza pierwszego kontaktu. Powinien się tym zająć zespół specjalistów. Nie poruszałem tej sprawy przed przyjściem tych dzieci na świat, ponieważ uważałem – i uważam nadal – że tak będzie lepiej dla wszystkich, a szczególnie dla ich matek, ale teraz sytuacja się zmieniła.

Pogodziliśmy się z myślą o – często absolutnie zbytecznej – ingerencji wojska w wielu dziedzinach nauki, ale ten przypadek jest naprawdę absurdalny! To po prostu skandal, że tego rodzaju zjawisko nadal jest wyciszane do tego stopnia, że przebiega praktycznie niebadane.

Jeśli nawet takie działanie nie jest przykładem obstrukcjonizmu, to i tak jest skandaliczne. Z pewnością można w tej sprawie coś zrobić, w razie konieczności pod osłoną ustawy o tajemnicy państwowej. Ponieważ obecnie tracimy doskonałą sposobność dokonania analizy porównawczej.

Pamiętajmy, ile trudu włożono w obserwację rozwoju czworaczków oraz pięcioraczków, i spójrzmy, jak bogaty materiał do badań mamy tutaj. Sześćdziesiąt jeden niemowląt – tak podobnych do siebie, że nawet ich rzekome matki nie potrafią ich rozróżnić. (Zaprzeczą temu, ale to prawda). Należałoby wykorzystać tę okazję i przeprowadzić badania porównawcze tej grupy z uwzględnieniem wpływu środowiska, wytwarzania odruchów warunkowych, procesu kojarzenia, diety i innych czynników. To, co się tu dzieje, to palenie książek zanim zostały napisane. Coś koniecznie trzeba z tym zrobić, zanim taka okazja zostanie zaprzepaszczona".

Rezultatem tych wszystkich ponagleń była natychmiastowa wizyta Bernarda i popołudniowa, dość burzliwa dyskusja. Zakończyła ją tylko częściowo uspokajająca obietnica nakłonienia Ministerstwa Zdrowia do podjęcia szybkich i praktycznych działań.

Kiedy zostaliśmy sami, Bernard powiedział:

— Teraz, gdy Midwich stanie się przedmiotem bardziej jawnego oficjalnego zainteresowania, byłoby dobrze — i pozwoliłoby uniknąć późniejszych nieporozumień — gdybyśmy zyskali sympatię Zellaby'ego. Sądzisz, że mógłbyś umówić mnie z nim na spotkanie?

Zatelefonowałem do Zellaby'ego, który natychmiast wyraził zgodę, więc po obiedzie zabrałem Bernarda do Kyle Manor i zostawiłem go tam, żeby sobie porozmawiał z gospodarzem. Wrócił do nas po paru godzinach, głęboko zamyślony.

— I co — zapytała Janet — pan sądzi o mędrcu z Midwich?

Bernard pokręcił głową i spojrzał na mnie.

— Spotkanie z nim dało mi do myślenia — rzekł. — Większość twoich raportów była doskonała, Richardzie, ale wątpię, czy dobrze go oceniłeś. Och, wiem, że jest w nich sporo pozornie istotnych informacji, ale podałeś mi za dużo domysłów, a za mało konkretów.

— Przykro mi, jeśli wprowadziłem cię w błąd — powiedziałem. — Problem z Zellabym polega na tym, że głoszone przez niego teorie są ulotne i często zawoalowane. Rzadko podaje jakiś niezbity fakt; wygłasza stwierdzenia mimochodem i kiedy zaczniesz się nad nimi zastanawiać, nie wiesz, czy oparł je na poważnych przemyśleniach, czy po prostu wygłaszał hipotezy – a ponadto nie jesteś już pewny, co zasugerował, a co sam wywnioskowałeś. To bardzo utrudnia sprawę.

Bernard ze zrozumieniem pokiwał głową.

– Teraz zdaję sobie z tego sprawę. Uraczył mnie tym. Przez ostatnie dziesięć minut spotkania mówił mi, że dopiero ostatnio zaczął się zastanawiać, czy cywilizacja z biologicznego punktu widzenia nie jest formą dekadencji. Następnie rozważał, czy luka między homo sapiens i innymi gatunkami nie jest zbyt duża, sugerując, że dla nas byłoby lepiej, gdybyśmy zatrzymali się w rozwoju na poziomie innego inteligentnego, a przynajmniej półinteligentnego gatunku. Jestem pewny, że nie były to uwagi oderwane od tematu – ale niech mnie powieszą, jeśli rozumiem ich sens. Aczkolwiek jedno jest najzupełniej jasne; chociaż Zellaby wydaje się nieobliczalny, niewiele mu umyka... Jednocześnie równie stanowczo jak doktor Willers domaga się zbadania sprawy – a szczególnie tego wewnętrznego przymusu – ale z wprost przeciwnego powodu: nie uważa tego za objaw histerii i chce wiedzieć, co to jest. Nawiasem mówiąc, umknął ci jeden fakt – czy wiedziałeś, że jego córka pewnego dnia próbowała zabrać swoje dziecko na przejażdżkę samochodem?

– Nie – odrzekłem. – Co chcesz powiedzieć przez „próbowała"?

– Tylko to, że po przejechaniu około sześciu mil musiała zrezygnować i wrócić. Dzieciakowi nie spodobała się przejażdżka. Jak to ujął: niedobrze jest, jeśli dziecko jest zbyt przywiązane do fartuszka matki, lecz jeśli matka jest zbytnio przywiązana do fartuszka dziecka, to sprawa jest poważna. Uważa, że czas podjąć jakieś kroki w tej sprawie.

ROZDZIAŁ 14

Nowe problemy

Z różnych powodów minęły prawie trzy tygodnie, zanim Alan Hughes dostał przepustkę na weekend, więc z proponowanym przez Zellaby'ego podjęciem kroków trzeba było zaczekać do jego przyjazdu.

Do tego czasu niechęć Dzieci (od tej pory pisząc o nich, będę używał wielkiej litery, aby odróżnić je od zwyczajnych dzieci) do prób przemieszczania ich poza granice Midwich stała się powszechnie znanym faktem. Było to kłopotliwe, ponieważ kiedy matka chciała pojechać do Trayne czy gdzie indziej, musiała znaleźć kogoś do opieki nad dzieckiem; nie uważano jednak tego za tragedię – raczej za dziwactwo, po prostu jeszcze jedną niedogodność nieodłącznie związaną z posiadaniem dziecka.

Zellaby traktował to trochę poważniej, ale czekał aż do tego niedzielnego popołudnia z wyłożeniem sprawy swojemu zięciowi. Kiedy był niemal pewny, że nikt im nie przeszkodzi, zaprowadził Alana do ustawionych na trawniku pod cedrem leżaków. Gdy się na nich usadowili, w niezwykle dla niego bezpośredni sposób od razu przeszedł do rzeczy.

– Oto, co chcę ci powiedzieć, chłopcze: byłbym spokojniejszy, gdybyś zabrał stąd Ferrelyn. I myślę, że im prędzej, tym lepiej.

Alan spojrzał na niego z lekkim zdziwieniem i lekko zmarszczył brwi.

– Sądziłem, że jest zupełnie jasne, że niczego nie pragnę bardziej, niż żeby była przy mnie.

– Oczywiście, że tak, mój drogi. To oczywiste. Nie chcę się wtrącać w wasze prywatne sprawy ani mówić wam, czego oboje chcecie, ale po prostu trzeba to zrobić – przede wszystkim dla dobra Ferrelyn.

– Ona chce wyjechać. Raz już próbowała – przypomniał mu Alan.

– Wiem. Jednak usiłowała zabrać ze sobą dziecko, a ono sprowadziło ją z powrotem, tak jak ściągnęło ją tu przedtem i zapewne zrobi to znowu, jeśli Ferrelyn podejmie kolejną próbę. Tak więc musisz ją stąd zabrać bez dziecka. Jeśli zdołasz ją na to namówić, załatwimy tu dziecku doskonałą opiekę. Wszystko wskazuje na to, że oddzielone od niej nie będzie – zapewne nie zdoła – wywierać na nią tak silnego wpływu.

– Jednak zdaniem Willersa…

– Willers robi dużo hałasu, żeby zapomnieć o swoich obawach. I nie chce widzieć pewnych rzeczy. Nie ma większego znaczenia, jakich kazuistycznych argumentów używa, żeby poprawić sobie samopoczucie, dopóki nie damy się na nie nabrać.

– Chce pan powiedzieć, że histeria, o której on mówi, nie jest rzeczywistym powodem powrotu tutaj Ferrelyn i innych kobiet?

– A czymże jest histeria? Zaburzeniem działania układu nerwowego. Naturalnie wiele z nich działało pod wpływem silnego stresu, ale problem Willersa polega na tym, że zatrzymał się tam, gdzie powinien zacząć. Zamiast stawić czoło problemowi i dociekać, dlaczego te kobiety zareagowały tak, a nie inaczej, skrywa prawdę za zasłoną dymną ogólnikowych twierdzeń o długotrwałym niepokoju i tym podobnych rzeczy. Nie mam mu tego za złe. Ma teraz dużo na głowie; jest zmęczony i potrzebuje odpoczynku. To jednak nie oznacza, że możemy mu pozwalać ukrywać prawdę – a właśnie to próbuje robić. Na przykład, nawet jeśli to zauważył, to nie przyznał, że żaden z tych ataków histerii nie zdarzył się pod nieobecność dziecka.

– Naprawdę? – spytał ze zdziwieniem Alan.

– Bez wyjątku. Ten nieodparty przymus jest odczuwany tylko w pobliżu dziecka. Oddzielmy je od matki – czy też raczej należałoby powiedzieć: przenieśmy matkę daleko od któregokolwiek z Dzieci – a ten przymus słabnie i stopniowo zanika. U niektórych ten proces trwa trochę dłużej, ale zawsze przebiega tak samo.

– Jednak nie rozumiem... W jaki sposób?

– Nie mam pojęcia. Można zakładać, że może to być coś w rodzaju hipnozy, ale jakikolwiek jest mechanizm tego zjawiska, to nie mam żadnych wątpliwości, że jest ono świadomie i rozmyślnie wywoływane przez dziecko. Najlepszym przykładem jest przypadek panny Lamb: kiedy nie była w stanie się podporządkować, przymus został przeniesiony na pannę Latterly, która wcześniej go nie odczuwała, i w rezultacie dziecko postawiło na swoim i wróciło tutaj, tak samo jak pozostałe. I od kiedy tu wróciły, nikt nie zdołał wywieźć żadnego z nich dalej jak sześć mil od Midwich. Willers mówi, że to histeria. Jedna kobieta wpada w nią, a reszta nieświadomie bierze z niej przykład i wszystkie wykazują te same objawy. Jednak jeśli dziecko zostaje tu pod opieką sąsiadki, to matka bez przeszkód może pojechać sobie do Trayne czy dokądkolwiek zechce. Według Willersa dzieje się tak po prostu dlatego, że nieświadomie nie spodziewa się, by cokolwiek się stało, kiedy jest sama, więc nie wpada w histerię. Chcę powiedzieć, że wprawdzie Ferrelyn nie może zabrać stąd dziecka, ale jeśli postanowi wyjechać i zostawi je tutaj, nic jej w tym nie przeszkodzi. Twoim zadaniem jest przekonać ją, że powinna to zrobić.

Alan się zastanowił.

– Mam postawić jej ultimatum – kazać wybierać między dzieckiem a mną? To trochę trudne i... hmm... drastyczne rozwiązanie, nieprawdaż?

– Mój drogi, to ultimatum zostało już postawione przez dziecko. Ty musisz teraz wyjaśnić sytuację. Możesz to zrobić albo poddać się woli dziecka i wrócić, żeby tu zamieszkać.

– Na to i tak nie dostałbym pozwolenia.

– Zatem dobrze. Ferrelyn już od kilku tygodni unika rozmowy na ten temat, ale prędzej czy później musi stawić temu czoło. Twoim zadaniem jest najpierw uświadomić jej konieczność, a potem pomóc jej przez to przejść.

– Wiele pan ode mnie wymaga – powiedział powoli Alan.

– Chyba nie tak wiele, skoro to nie twoje dziecko, prawda?

– Hmm – mruknął Alan.

– I nie jest to także jej dziecko – ciągnął Zellaby – inaczej nie proponowałbym ci tego. Ferrelyn i pozostałe kobiety są ofiarami zniewolenia i zostały postawione w wyjątkowo niezręcznej sytuacji. W wyniku wyrafinowanego oszustwa stały się żywicielkami, jak nazywają to weterynarze; jest to bliższa relacja niż między dzieckiem a przybraną matką, ale podobnego rodzaju. To dziecko nie ma absolutnie nic wspólnego z żadnym z was dwojga; w rezultacie jakiegoś niewyjaśnionego procesu Ferrelyn znalazła się w sytuacji, w której musiała wydać je na świat. Ono tak bardzo różni się biologicznie od was obojga, że trudno je zaklasyfikować do jakiejś grupy etnicznej. Nawet Willers musiał to przyznać. Choć jednak nie potrafimy ustalić jego przynależności etnicznej, to samo zjawisko jest dobrze znane i nasi przodkowie – którzy nie podzielali ślepej wiary Willersa w potęgę nauki – mieli na nie odpowiednie określenie: nazywali takie dzieci odmieńcami. Cała ta historia nie byłaby dla nich tak dziwna jak dla nas, ponieważ byli skrępowani jedynie dogmatami religijnymi, nie tak dogmatycznymi jak naukowe. Tak więc teoria narodzin odmieńców zdecydowanie nie jest czymś nowym, lecz istniejącym od dawna i tak rozpowszechnionym, że należy wątpić, by powstała i przetrwała bez powodu czy sporadycznych potwierdzeń. To prawda, że nie ma żadnych zapisów o tak licznych przypadkach tego zjawiska, lecz w tym wypadku ilość nie wpływa na jakość – po prostu potwierdza fakt. Tych sześćdziesięcioro jeden złotookich dzieci, które tu mamy, to intruzi, odmieńcy: jak pisklęta z kukułczych jaj. A nie jest istotne, jak kukułki umieszczają swoje jaja w gniazdach ani jak te gniazda wybierają; prawdziwym powodem do niepokoju jest to, co robią pisklęta, kiedy się wyklują – co wtedy próbują zrobić. A ich postępowanie będzie uzasadnione instynktem samozachowawczym, który z natury rzeczy jest bezlitosny.

Alan zastanawiał się chwilę.

– Naprawdę uważa pan, że to właściwe porównanie?

– Jestem tego całkowicie pewny – odparł Zellaby.

Obaj znów zamilkli na jakiś czas; Zellaby wygodnie wyciągnął się na fotelu z rękami splecionymi za głową, a Alan niewidzącym wzrokiem spoglądał na trawnik.

– No dobrze – rzekł w końcu. – Zapewne większość z nas miała nadzieje, że wszystko się ułoży, kiedy dzieci przyjdą na świat. Przyznaję, że teraz wcale na to nie wygląda. Jednak co pana zdaniem nastąpi teraz?

– Coś się wydarzy, ale nie wiem co – choć sądzę, że nie będzie to nic przyjemnego – odrzekł Zellaby. – Kukułcze pisklę przetrwa, ponieważ jest silne i zdeterminowane. Dlatego mam nadzieję, że zabierzesz stąd Ferrelyn – i nie pozwolisz jej tu wrócić. Ponieważ nie wynikłoby z tego nic dobrego – w najlepszym razie. Zrób, co możesz, żeby zapomniała o tym odmieńcu i mogła prowadzić normalne życie. Nie wątpię, że z początku będzie to trudne, ale nie aż tak, jak byłoby, gdyby to dziecko naprawdę było jej.

Alan potarł zmarszczone czoło.

– To będzie trudne – powiedział. – Pomimo wszystko ona darzy to dziecko macierzyńskim uczuciem... No wie pan, to rodzaj fizycznego przywiązania i poczucie obowiązku.

– Ależ oczywiście. Tak właśnie to działa. Dlatego biedna ptasia samiczka zapracuje się na śmierć, karmiąc wiecznie głodne kukułcze pisklę. Jak już powiedziałem, to oszustwo – bezwzględne wykorzystanie skłonności do samopoświęcenia. Istnienie tej skłonności jest istotne dla przetrwania gatunku, ale przecież my, w cywilizowanym społeczeństwie, nie możemy sobie pozwolić na uleganie wszystkim naturalnym popędom, prawda? W tym wypadku Ferrelyn po prostu nie może dać się szantażować przez wykorzystywanie jej dobroci.

– A co pan by zrobił – powiedział powoli Alan – gdyby dziecko Angeli okazało się jednym z nich?

– Zrobiłbym to, co radzę ci zrobić w przypadku Ferrelyn. Wywiózłbym ją stąd. Ponadto zerwałbym wszelkie więzy z Midwich, sprzedając nasz dom, mimo że jesteśmy do niego bardzo przywiązani. Być może jeszcze to zrobię, chociaż Angela nie jest jedną z poszkodowanych kobiet. Wszystko zależy od rozwoju sytuacji. Poczekamy, zobaczymy. Nie sposób przewidzieć wszystkich ewentualności, ale nie podoba mi się to, co podsuwa logika. Tak więc im prędzej Ferrelyn znajdzie się daleko stąd, tym będę szczęśliwszy. Nie proponuję, że sam jej o tym powiem. Po pierwsze, ponieważ tę sprawę powinniście załatwić między sobą, a po drugie, istnieje ryzyko, że potwierdzając jej niejasne przeczucia, popełniłbym błąd, na przykład sprawił, że potraktowałaby to jako wyzwanie. Ty możesz jej zaproponować konkretną alternatywę. Gdybyś jednak miał z tym trudności i potrzebowałbyś czegoś, żeby przechylić szalę, Angela i ja udzielimy ci pełnego poparcia.

Po chwili Alan skinął głową.

– Mam nadzieję, że to nie będzie potrzebne – nie sądzę, żeby było. Oboje dobrze wiemy, że tak dalej być nie może. A teraz, skoro mnie pan pogania, załatwimy tę sprawę.

Siedzieli w cichej zadumie. Teraz, gdy jego niejasne przeczucia i podejrzenia przedstawiono w formie zmuszającej go do działania, Alan poczuł ulgę. Był także pod wrażeniem, ponieważ nie pamiętał, by podczas którejkolwiek z dotychczasowych rozmów z teściem ten – zwykle wygłaszający jedną dygresję po drugiej – tak konsekwentnie trzymał się tematu. A przecież nasuwało się tu wiele różnych interesujących przypuszczeń. Właśnie miał sam parę wygłosić, lecz powstrzymał go widok idącej ku nim przez trawnik Angeli.

Usiadła na fotelu naprzeciw męża i poprosiła o papierosa. Zellaby poczęstował ją i podał ogień. Obserwował, jak zaciągnęła się kilkakrotnie.

– Kłopoty? – spytał.

– Nie jestem pewna. Dopiero co rozmawiałam przez telefon z Margaret Haxby. Wyjechała.

Zellaby uniósł brwi.

– Chcesz powiedzieć, że wyniosła się stąd?

– Tak. Dzwoniła z Londynu.

– Ach, tak – mruknął Zellaby i zamyślił się.

Alan zapytał, kim jest Margaret Haxby.

– Och, przepraszam. Zapewne jej nie znasz. Jest jedną z młodych pracownic pana Crimma – a raczej była. O ile wiem, jedną z najzdolniejszych. Z tytułem naukowym doktora londyńskiej uczelni.

– Jedna z... hmm... poszkodowanych? – spytał Alan.

– Tak. I najbardziej sfrustrowanych – odparła Angela. – Teraz postanowiła zwinąć manatki i wyjechać – pozostawiając dziecko na utrzymaniu Midwich. Dosłownie.

– A jaka jest w tym twoja rola, kochanie? – zapytał Zellaby.

– Och, najwyraźniej zdecydowała, że jestem osobą, którą należy oficjalnie o tym powiadomić. Oświadczyła, że dzwoniła do pana Crimma, ale dziś nie ma go w pracy. Chciała, żeby ktoś zajął się dzieckiem.

– A gdzie ono jest teraz?

– Tam, gdzie mieszkała. W domku starej pani Dorry.

– A panna Haxby tak po prostu je zostawiła?

– Właśnie. Pani Dorry jeszcze o tym nie wie. Muszę tam pójść i jej powiedzieć.

– To może być kłopotliwe – orzekł Zellaby. – Już widzę panikę, w jaką wpadną kobiety, które przyjęły te dziewczyny pod swój dach. Zaczną pospiesznie je wyrzucać na ulicę, żeby nie postawiły je w takiej sytuacji. Czy nie możemy z tym zaczekać? Dać panu Crimmowi czas, żeby wrócił i coś z tym zrobił? W końcu to jego pracownice i wioska nie jest za nie odpowiedzialna – przynajmniej nie bezpośrednio. Ponadto panna Haxby może zmienić zdanie.

Angela przecząco pokręciła głową.

– Nie ona. Nie zrobiła tego bez zastanowienia. W istocie dobrze to przemyślała. Jej tok rozumowania jest następujący: nigdy nie ubiegała się o pracę w Midwich, ale tu została oddelegowana. Gdyby wysłano ją do pracy w terenie, na którym panuje żółta febra, pracodawcy ponosiliby ewentualne konsekwencje tego faktu; ponieważ oddelegowali ją tutaj, więc muszą radzić sobie z tą – niezawinioną przez nią – sytuacją.

— Hmm — mruknął Zellaby. — Mam wrażenie, że ta analogia nie zostanie przyjęta bez zastrzeżeń w kręgach rządowych. No i…?

— Tak czy inaczej, taka jest jej argumentacja. Całkowicie wyrzeka się dziecka. Mówi, że nie jest za nie odpowiedzialna, tak jak nie odpowiadałaby za niemowlę podrzucone pod jej drzwiami, tak więc nie można od niej oczekiwać, że z jego powodu zechce lub pozwoli złamać sobie karierę zawodową lub życie.

— W wyniku czego utrzymanie dziecka zrzuca na parafię — chyba że zamierza na nie łożyć.

— Oczywiście zapytałam ją o to. Powiedziała, że wioska i The Grange mogą spierać się o to, kto ponosi odpowiedzialność, bo na pewno nie ona. Odmawia jakichkolwiek opłat, ponieważ prawnie mogłoby to zostać uznane za przyjęcie zobowiązań. Pomimo to pani Dorry lub jakakolwiek zacna osoba, która podejmie się opieki nad dzieckiem, otrzyma dwa funty tygodniowo, przysyłane anonimowo i nieregularnie.

— Masz rację, moja droga. Ona dobrze to sobie przemyślała i trzeba to wnikliwie rozpatrzyć. Jakie będą skutki, jeśli nie zakwestionujemy takiego postępowania? Spodziewam się, że ktoś musi być prawnym opiekunem dziecka. Jak go wyznaczyć? Może zwrócić się do opieki społecznej, żeby wydała jej nakaz sądowy?

— Nie wiem, ale ona wzięła pod uwagę, że coś takiego może się stać. W takim wypadku zamierza podjąć walkę w sądzie. Twierdzi, że badania lekarskie dowiodą, że dziecko nie jest jej, i na podstawie tego zamierza argumentować, że ponieważ bez swojej wiedzy i zgody została *in loco parentis*, nie może być za nie odpowiedzialna. Jeśli nie zdoła tego dowieść, może jeszcze wytoczyć proces ministerstwu o niedopełnienie obowiązków skutkujące zagrożeniem jej zdrowia, molestowanie seksualne, a nawet sutenerstwo. Jeszcze nie zdecydowała.

– I sądzę, że tego nie zrobi – rzekł Zellaby. – Uzasadnienie takiego pozwu byłoby bardzo interesujące.

– No cóż, ona najwyraźniej nie sądzi, żeby do tego doszło – przyznała Angela.

– I przypuszczam, że ma absolutną rację – zgodził się Zellaby. – Sami podjęliśmy tu pewne wysiłki, ale władze musiały prowadzić bardzo intensywne zakulisowe działania, aby utrzymać wszystko w tajemnicy. Nawet dowody przedstawione do podważenia nakazu sądowego byłyby manną z nieba dla dziennikarzy wszystkich krajów. W rzeczy samej wydanie takiego nakazu zapewne przyniosłoby doktor Haxby sporą fortunę, w taki czy inny sposób. Biedny pan Crimm – i biedny pułkownik Westcott. Obawiam się, że będą zmartwieni. Zastanawiam się, co mogą zrobić w tej sprawie... – Zamilkł na długą chwilę, po czym dodał: – Moja droga, właśnie rozmawiałem z Alanem o wywiezieniu stąd Ferrelyn. Teraz wydaje się to jeszcze pilniejsze. Kiedy wszyscy się dowiedzą o pannie Haxby, inne kobiety mogą zechcieć pójść za jej przykładem, nie sądzisz?

– Niektórym z nich może to pomóc podjąć decyzję – potwierdziła Angela.

– W takim wypadku, i zakładając, że kłopotliwie duża liczba kobiet podejmie takie działania, chyba można się spodziewać jakiegoś przeciwdziałania tym dezercjom.

– Przecież, jak mówisz, władze nie chcą rozgłosu...?

– Nie mam na myśli władz, moja droga. Nie, ja myślę o tym, co by było, gdyby się okazało, że te dzieci są przeciwne ich porzucaniu tak samo jak wywożeniu z Midwich.

– Chyba nie sądzisz, że...?

– Nie wiem. Po prostu staram się postawić w sytuacji takiego kukułczego pisklęcia. Jako takie zapewne byłbym przeciwny wszystkiemu, co mogłoby źle wpłynąć na moją wygodę i samopoczucie. W istocie nawet nie trzeba być kukułką, żeby tak reagować. Tak tylko dywaguję, rozumiesz, ale uważam, że warto dopilnować, by Ferrelyn nie została tu uwięziona, gdyby coś takiego się stało.

– Czy tak się stanie czy nie, lepiej, żeby jej tu nie było – stwierdziła Angela. – Na początek możesz zaproponować wyjazd na dwa lub trzy tygodnie, dopóki nie zobaczymy, co się dzieje – powiedziała do Alana.

– Bardzo dobrze – rzekł Alan. – To daje mi punkt zaczepienia. Gdzie ona jest?

– Zostawiłam ją na werandzie.

Oboje obserwowali, jak przechodzi przez trawnik i znika za rogiem budynku. Gordon Zellaby uniósł brwi, patrząc na żonę.

– Myślę, że to nie będzie trudne – powiedziała Angela. – Ona oczywiście chce być przy nim. Jedyną przeszkodą jest jej poczucie obowiązku. Ten konflikt interesów ją wykańcza.

– Jak silnym uczuciem darzy to dziecko?

– Trudno powiedzieć. W tych sprawach kobiety są pod silną presją społeczną, związaną z tradycyjnym pojmowaniem ich roli. Instynkt samozachowawczy nakazuje im dostosować się do zaaprobowanych norm. Minie trochę czasu, zanim podejmą właściwą decyzję – jeśli zdołają.

– Przecież Ferrelyn z pewnością to potrafi? – Zellaby wyglądał na urażonego.

– Och, jestem tego pewna. Jednak jeszcze nie zdecydowała. No wiesz, trudno stawić temu czoło. Przeżyła wszelkie niedogodności i nieprzyjemności związane z ciążą, jakby to było jej dziecko, a teraz po tym wszystkim musi zaakceptować fakt, że nie jest jego biologiczną matką, tylko – jak to nazywacie – żywicielką. To z pewnością niełatwe. – Przerwała na moment, w zadumie spoglądając na ogród. – Teraz co wieczór odmawiam dziękczynną modlitwę – dodała. – Nie wiem, dokąd ona trafia, ale chcę, by gdzieś wiedziano, jaka jestem wdzięczna.

Zellaby wyciągnął rękę i ujął jej dłoń. Po paru minutach zauważył:

– Zastanawiam się, czy kiedykolwiek wymyślono głupsze i bardziej fałszywe pojęcie niż „Matka Natura"? Właśnie dlatego, że Natura jest bezlitosna, odrażająco i niewiarygodnie okrutna, trzeba było wymyślić cywilizację. Uważa się, że zwierzęta są dzikie, ale najdziksze z nich wydają się niemal udomowione w porównaniu z rozbitkami usiłującymi przetrwać na morzu; jak owady pozostają przy życiu tylko dzięki odrażającym i koszmarnym czynom. Nie ma bardziej mylnej koncepcji niż wygodne określenie „Matka Natura". Każdy gatunek musi walczyć o przetrwanie i będzie to robić wszelkimi dostępnymi mu sposobami, nieważne, jak okropnymi – chyba że jego instynkt samozachowawczy jest osłabiony przez konflikt z innym instynktem.

Przerwał, co Angela wykorzystała, żeby wtrącić z lekkim zniecierpliwieniem:

– Nie wątpię, że powoli do czegoś zmierzasz, Gordonie.

– Tak – przyznał Zellaby. – Chcę jeszcze raz wrócić do kukułek. Mają bardzo silną wolę przetrwania. Tak silną, że gdy znajdą się w czyimś gnieździe, można zrobić tylko jedno. Jak wiesz, jestem humanitarnym człowiekiem i chyba nawet można powiedzieć, że z natury dobrym.

– Owszem, Gordonie.

– A na domiar złego jestem człowiekiem cywilizowanym. Z tych powodów nie mogę zaakceptować tego, co trzeba zrobić. Nikt z nas tego nie zaaprobuje, nawet jeśli rozumie, że jest to wskazane. Tak więc jak nieszczęsna samiczka drozda będziemy karmić i pielęgnować potwora, zdradzając nasz własny gatunek... To dziwne, nie sądzisz? Potrafimy utopić miot kociąt, które nie są dla nas żadnym zagrożeniem, ale będziemy troskliwie wychowywać te stwory.

Angela przez długą chwilę siedziała nieruchomo. Potem obróciła głowę i obrzuciła go przeciągłym, uważnym spojrzeniem.

– Naprawdę uważasz... że tak należy zrobić, prawda, Gordonie?

– Tak, moja droga.

– To niepodobne do ciebie.

– Jak już powiedziałem. Jednak mamy tu sytuację, w jakiej jeszcze nigdy się nie znalazłem. Uświadomiłem sobie, że na stosowanie zasady „żyj i daj żyć innym" można sobie pozwolić tylko w poczuciu własnego bezpieczeństwa. Teraz, kiedy odkryłem – czego nigdy się nie spodziewałem – że moja pozycja jako szczytowego produktu procesu ewolucji jest zagrożona, wcale mi się to nie podoba.

– Ależ drogi Gordonie, z pewnością trochę przesadzasz. W końcu grupka niezwykłych dzieci...

– Które potrafią wywoływać neurozy u dorosłych kobiet – i nie zapominaj także o Harrimanie – żeby wymusić zaspokajanie swoich życzeń.

– Może im to przejdzie z wiekiem. Czasem słyszy się o dziwnym porozumieniu, rodzaju psychicznej więzi...

– O pojedynczych takich przypadkach. Jednak nie u sześćdziesięciu jeden niemowląt! Nie, to nie jest czułe przywiązanie i nie ma w tym niczego zaszczytnego. To są najbardziej pragmatyczne, świadome i samodzielne niemowlaki, jakie widział świat – a na dodatek bardzo zadowolone z siebie i nic w tym dziwnego, skoro mogą mieć wszystko, czego zapragną. Na razie są jeszcze małe i nie chcą wiele, ale później... no cóż, zobaczymy.

– Doktor Willers mówi... – zaczęła jego żona, ale Zellaby przerwał jej niecierpliwie.

– Willers wspaniale stanął na wysokości zadania – tak dobrze, że trudno się dziwić, że teraz sam się oszukuje i chowa głowę w piasek. Jego wiara w ataki histerii stała się praktycznie patologiczna. Mam nadzieję, że urlop dobrze mu zrobi.

– Ale, Gordonie, on przynajmniej stara się to jakoś wyjaśnić.

– Moja droga, jestem cierpliwy, ale nie nadużywaj mojej cierpliwości. Willers nigdy nie próbował tego wyjaśnić. On tylko akceptował pewne fakty, kiedy nie dało się już tego uniknąć; pozostałe usiłował uzasadnić – a to zupełnie co innego.

– Przecież musi być jakieś wyjaśnienie.

– Oczywiście.

– Zatem jakie ono jest twoim zdaniem?

– Musimy poczekać, aż dzieci podrosną na tyle, żeby dostarczyć nam jakieś dowody.

– Masz jednak jakieś przypuszczenia?

– Obawiam się, że niezbyt pocieszające.

– Ale jakie?

Zellaby potrząsnął głową.

– Jeszcze nie jestem gotowy – powiedział. – Ponieważ jednak jesteś dyskretną osobą, zadam ci pytanie. Brzmi następująco: Gdybyś chciała rzucić wyzwanie stabilnej i dość dobrze uzbrojonej społeczności, co byś zrobiła? Czy walczyłabyś z nią na jej warunkach, rozpoczynając kosztowny i z pewnością destrukcyjny atak? Czy może, gdyby czas nie odgrywał roli, wolałabyś zastosować subtelniejszą taktykę? A konkretnie, czy spróbowałabyś wprowadzić jakiegoś rodzaju piątą kolumnę, żeby przeprowadziła atak od wewnątrz?

ROZDZIAŁ 15

Przyszłe problemy

W ciągu kilku następnych miesięcy w Midwich zaszło wiele zmian.

Doktor Willers przekazał swoją praktykę zastępcy, młodemu człowiekowi, który pomagał mu w czasie kryzysu, po czym wraz z panią Willers, wyczerpany i zniesmaczony działaniami władz, udał się na urlop, podobno w podróż dookoła świata.

W listopadzie mieliśmy epidemię grypy, która pozbawiła życia troje mieszkańców w podeszłym wieku oraz trójkę Dzieci. Jednym z nich był chłopczyk Ferrelyn. Posłano po nią i natychmiast wróciła do domu, ale za późno, żeby zobaczyć go żywego. Pozostałe dwie ofiary z tej grupy były dziewczynkami.

Jednak znacznie wcześniej nastąpiła sensacyjna ewakuacja The Grange. Była to dobrze zorganizowana operacja: naukowcy dowiedzieli się o niej w poniedziałek, furgonetki przyjechały w środę, a już przed weekendem cały budynek i kosztowne nowe laboratoria straszyły pustką i ciemnymi oknami. Mieszkańcy wsi mieli wrażenie, że byli świadkami magicznej sztuczki, gdyż pan Crimm też znikł wraz ze swym personelem i została tylko czwórka złotookich dzieci, dla których trzeba było znaleźć zastępczych rodziców.

Tydzień później do domu opuszczonego przez pana Crimma wprowadzili się Freemanowie, para w podeszłym wieku. On przedstawił się jako psycholog, a jego żona podobno była lekarzem medycyny. Dali nam do zrozumienia, że mają obserwować rozwój Dzieci na zlecenie jakiejś nieokreślonej organizacji rządowej. Co też, na swój sposób, zapewne robili, ponieważ nieustannie kręcili się i węszyli po wsi, często wpraszali się do domów i nierzadko można ich było zobaczyć na jednej z ławek na Błoniu, rozmyślających głęboko, lecz czujnie. Otaczali się nimbem tajemniczości graniczącej z konspiracją, w wyniku czego po tygodniu byli powszechnie nielubiani i nazywani Ciekawskimi. Jednak inną ich cechą był upór i pomimo ogólnej niechęci wytrwale robili swoje, aż zostali zaakceptowani w sposób, w jaki ludzie godzą się ze złem koniecznym.

Sprawdziłem ich, wypytując Bernarda. Powiedział, że nie mają nic wspólnego z jego wydziałem, ale rzeczywiście zostali tu oficjalnie przysłani. Uważaliśmy, że jeśli ich obecność jest jedynym rezultatem zabiegów Willersa o wnikliwe zbadanie Dzieci, to dobrze, że go tu nie ma.

Podjęte przez Zellaby'ego oraz wielu innych mieszkańców Midwich próby przełamania pierwszych lodów nie przyniosły rezultatu. Organizacja, która ich zatrudniała, najwyraźniej ceniła sobie dyskrecję, ale my uważaliśmy, że choć ta może być istotna w szerszej perspektywie, to uzyskaliby więcej informacji i mniejszym kosztem, gdyby byli bardziej towarzyscy. Jednak byli w Midwich i może wysyłali gdzieś użyteczne raporty. My mogliśmy tylko pozwolić im zdobywać wiadomości w wybrany przez nich sposób.

Chociaż pierwszy rok życia Dzieci mógł być bardzo interesujący z naukowego punktu widzenia, to nie zdarzyło się w tym czasie nic, co wzbudziłoby większe zaniepokojenie. Nadal opierały się wszelkim próbom wywiezienia ich z Midwich, ale inne przejawy ich mocy były łagodne i sporadyczne. Jak powiedział Zellaby, były to bardzo rozsądne i samowystarczalne dzieci – dopóki nikt ich nie zaniedbywał i nie robił czegoś wbrew ich woli.

W tym okresie bardzo niewiele zdarzeń potwierdzało złowieszcze przepowiednie starych bab czy, skoro o tym mowa, oględniej wyrażane, lecz rzadko mniej ponure prognozy Zellaby'ego, tak więc w miarę upływu czasu Janet i ja nie byliśmy jedynymi ludźmi, którzy zaczęli się zastanawiać, czy nie byliśmy w błędzie i czy te niezwykłe zdolności tych dzieci nie zaczynają słabnąć, po czym być może zupełnie zanikną z wiekiem.

A potem, na początku następnego lata, Zellaby odkrył coś, co najwidoczniej umknęło uwadze Freemanów, choć tak sumiennie obserwowali Dzieci.

W pewne słoneczne popołudnie zjawił się w naszym domu i niemal przemocą nas z niego wyciągnął. Protestowałem, że odrywa mnie od pilnej pracy, ale nie dał się zbyć.

– Wiem, szanowny kolego, wiem. Sam mam zdjęcie mojego wydawcy ze łzami w oczach. Jednak to ważna sprawa. Muszę mieć wiarygodnych świadków.

– Czego? – zapytała bez entuzjazmu Janet.

Jednak Zellaby tylko potrząsnął głową.

– Nie będę niczego podpowiadał ani sugerował. Proszę tylko, żebyście obserwowali eksperyment i sami wyciągnęli wnioski. Oto – sięgnął do kieszeni – nasza aparatura.

Położył na stole ozdobne drewniane puzderko wielkości połowy pudełka zapałek oraz jedną z tych łamigłówek w formie dwóch dużych gwoździ, zgiętych i złączonych ze sobą, które można rozdzielić, przytrzymując w odpowiedniej pozycji. Podniósł drewniane puzderko i potrząsnął nim. W środku coś zagrzechotało.

– Cukiereczek – wyjaśnił. – Bezużyteczny wytwór japońskiej pomysłowości. Nie ma widocznego zamka, ale jeśli przesunie się ten kawałek intarsji, otworzy się je bez trudu i można będzie wziąć cukierek. Tylko Japończycy wiedzą, dlaczego ktoś miałby się trudzić konstruowaniem czegoś takiego, ale myślę, że dla nas mimo wszystko ten gadżet okaże się przydatny. Na którym chłopcu z tej grupy dzieci go wypróbujemy?

– Przecież żadne z tych dzieci jeszcze nie ma roczku – przypomniała chłodno Janet.

– Jak doskonale wiecie, pomimo to one pod każdym względem są na poziomie dobrze rozwiniętych dwulatków – odparł Zellaby. – A poza tym to, co proponuję, nie jest testem na inteligencję… chociaż może i jest? – Urwał niepewnie. – Muszę przyznać, że nie jestem tego pewny. Jednak to nieważne. Wybierzcie jakieś dziecko.

– No dobrze. Synek pani Brant – powiedziała Janet.

Tak więc poszliśmy do pani Brant.

Zaprowadziła nas do ogrodu na tyłach domu, gdzie dziecko było w kojcu stojącym na trawniku. Tak jak powiedział Zellaby, malec pod każdym względem wyglądał na dwulatka i to bardzo inteligentnego. Zellaby dał mu pudełeczko. Chłopczyk wziął je, obejrzał, odkrył, że grzechocze, i potrząsnął nim z uciechą. Zobaczyliśmy, że najwidoczniej doszedł do wniosku, że jest to pudełko, ponieważ bezskutecznie próbował je otworzyć. Zellaby pozwolił mu się chwilę pobawić puzderkiem, a potem wyjął z kieszeni cukierek i wymienił go z malcem za pudełko – wciąż nieotwarte.

– Nie rozumiem, czego to miało dowieść – powiedziała Janet, kiedy wyszliśmy.

– Cierpliwości, droga pani – karcąco rzekł Zellaby. – Z kim spróbujemy teraz, znów z chłopcem?

Janet przypomniała, że plebania jest blisko. Zellaby pokręcił głową.

– Nie, lepiej nie. Dziewczynka Polly Rushton zapewne też tam będzie.

– Czy to ma jakieś znaczenie? Zachowuje się pan bardzo tajemniczo – powiedziała Janet.

– Chcę, żeby moi świadkowie nie mieli żadnych wątpliwości – rzekł Zellaby. – Spróbujmy z innym dzieckiem.

Poszliśmy do starej pani Dorry. Tam Zellaby wykonał ten sam pokaz, ale dziecko pobawiło się chwilę pudełkiem i oddało mu je, patrząc wyczekująco. Zellaby nie wziął od malca pudełka, tylko pokazał mu jak je otworzyć, a potem pozwolił, by chłopiec zrobił to sam i wyjął sobie cukierek. Potem Zellaby włożył następny cukierek do pudełeczka, zamknął je i znów wręczył małemu.

– Spróbuj jeszcze raz – zaproponował.

Zobaczyliśmy, jak chłopczyk otwiera je bez trudu i zdobywa drugi cukierek.

– A teraz – rzekł Zellaby, kiedy wyszliśmy – wrócimy do obiektu numer jeden, dziecka pani Brant.

Gdy ponownie znaleźliśmy się w ogrodzie pani Brant, podał pudełko malcowi w kojcu, tak jak poprzednio. Dzieciak wziął je ochoczo. Bez namysłu znalazł i przesunął fragment intarsji, po czym wyjął cukierek, jakby robił to już tuzin razy. Zellaby z błyskiem rozbawienia w oczach patrzył na nasze zdumione miny. Jeszcze raz odebrał pudełko i umieścił w nim cukierek.

– No cóż – rzekł – wybierzcie następnego chłopca.

Odwiedziliśmy trzech, w różnych miejscach wioski. Żaden nie zastanawiał się ani chwili. Otwierali pudełko, jakby doskonale je znali, i natychmiast wyjmowali jego zawartość.

— Interesujące, nieprawdaż? — zauważył Zellaby. — A teraz spróbujmy z dziewczynkami.

Powtórzyliśmy cały ten eksperyment, tylko tym razem nie drugiemu, lecz trzeciemu dziecku pokazał, jak otworzyć pudełko. Potem wszystko przebiegło tak samo.

— Fascynujące, nie sądzicie? — spytał rozpromieniony Zellaby. — Chcecie sprawdzić, jak poradzą sobie z łamigłówką?

— Może później — odparła Janet. — Teraz napiłabym się herbaty.

Zaprosiliśmy go na nią do naszego domu.

— Ten pomysł z pudełeczkiem był dobry — pochwalił się skromnie Zellaby, pochłaniając kanapkę z ogórkiem. — Prosty, niepodważalny, i wszystko poszło gładko jak po maśle.

— Czy to oznacza, że przeprowadził pan na nich jakieś inne testy? — spytała Janet.

— Och, całkiem sporo. Niektóre jednak były zbyt skomplikowane, a inne nie w pełni miarodajne — ponadto początkowo nie w pełni zdawałem sobie sprawę, z czym mam do czynienia.

— A teraz już tak? Ponieważ ja wcale nie jestem pewna, czy to wiem — powiedziała Janet.

Spojrzał na nią.

— Myślę, że dobrze pani wie — i Richard także. Nie bójcie się do tego przyznać.

Poczęstował się następną kanapką i spojrzał na mnie badawczo.

— Zapewne mam powiedzieć — zacząłem — że pański eksperyment dowiódł, iż wszyscy chłopcy, ale nie dziewczynki, natychmiast wiedzą to, czego dowiedział się jeden, i vice versa. No dobrze, istotnie na to wygląda — chyba że to jakaś sztuczka.

— Mój drogi...!

— No cóż, musi pan przyznać, że wynik tego eksperymentu raczej trudno tak od razu przyjąć do wiadomości.

— Rozumiem. No tak. Oczywiście. Ja też nie doszedłem do tego od razu. — Pokiwał głową.

— I właśnie do takiego mieliśmy dojść wniosku?

— Oczywiście, drogi panie. Czy fakty nie mówią same za siebie? — Wyjął z kieszeni te dwa złączone gwoździe i rzucił je na stół. — Weźcie je i spróbujcie sami — albo jeszcze lepiej, opracujcie i przeprowadźcie własny eksperyment. Nieuchronnie dojdziecie do takiego samego wniosku — a to dopiero początek.

— Trudniej to zaakceptować niż udowodnić — powiedziałem — ale chwilowo załóżmy...

— Chwileczkę — przerwała mi Janet. — Panie Zellaby, czy twierdzi pan, że jeśli powiem coś któremukolwiek z tych chłopców, wszyscy pozostali też będą to wiedzieć?

— Niewątpliwie — oczywiście jeśli będzie to coś, co w tym wieku są w stanie zrozumieć.

Janet miała bardzo sceptyczną minę.

Zellaby westchnął.

— Stara historia — powiedział. — Zlinczujmy Darwina, a obalimy teorię ewolucji. Jednak, jak już powiedziałem, możecie przeprowadzić własny eksperyment. — Znowu zwrócił się do mnie: — Był pan gotowy założyć, że...?

— Tak — przyznałem. — A pan powiedział, że to dopiero początek. Co będzie dalej?

— Moim zdaniem tylko to jedno wystarczy, żeby całkowicie rozłożyć nasz system społeczny.

— A czy nie może to być coś w rodzaju... no wie pan, zaawansowanej więzi duchowej łączącej niektóre bliźnięta? — zapytała Janet.

Zellaby przecząco pokręcił głową.

— Nie sądzę — ewentualnie tak wysoko rozwiniętej, że doprowadziła do powstania zupełnie nowych cech. Ponadto mamy tu nie jedną grupę kontaktu, ale dwie, i najwyraźniej nieporozumiewające się ze sobą. A skoro tak jest, co sami widzieliśmy, natychmiast rodzi się pytanie: w jakim stopniu każde z tych Dzieci jest odrębną indywidualnością? Pod względem fizycznym tak, ale pod innymi względami? Jeśli dzieli świadomość z resztą grupy i może się z nimi porozumiewać bez takich trudności, jakie mamy my, to czy można mówić, że ma własny umysł, odrębną osobowość w naszym rozumieniu tego słowa? Ja uważam, że nie. Wydaje się zupełnie jasne, że jeśli osobnicy A, B i C mają wspólną świadomość, to A wypowiada to, co myślą także B i C, a w ten sposób działania podejmowane w jakiejś sytuacji przez B w takich samych okolicznościach podejmą również A i C – z ewentualnymi modyfikacjami wynikającymi z różnic fizycznych, które mogą mieć znaczący wpływ, ponieważ zachowanie jest uzależnione między innymi od stanu gruczołów produkujących hormony. Innymi słowy, jeśli zadam pytanie któremuś z tych chłopców, to otrzymam identyczną odpowiedź, niezależnie, którego zapytam; jeśli poproszę o podjęcie jakiegoś działania, uzyskam mniej więcej taki sam rezultat, aczkolwiek zapewne lepszy u osobników o lepszej koordynacji ruchowej – chociaż ze względu na bardzo małe zróżnicowanie tej grupy, odchylenia będą niewielkie. Jednak rzecz w tym, że uzyskam odpowiedź lub reakcję nie jednostki, ale całej grupy. Co samo w sobie nasuwa wiele kolejnych pytań i wniosków.

Janet zmarszczyła brwi.

– Wciąż nie całkiem…

– Pozwólcie, że ujmę to inaczej – rzekł Zellaby. – Pozornie mamy tu do czynienia z pięćdziesięcioma ośmioma indywidualnościami. Jednak pozory mylą i odkryliśmy, że w istocie mamy tu tylko dwa byty: chłopca i dziewczynkę. Chociaż ten chłopiec składa się z trzydziestu, a dziewczynka dwudziestu ośmiu jednostkowych części.

Zapadła cisza.

– Trochę trudno mi to ogarnąć – ostrożnie powiedziała w końcu Janet.

– Tak, oczywiście – przyznał Zellaby. – Ja też miałem z tym problem.

– Czy naprawdę uważa pan – spytałem po kolejnej chwili milczenia – że te Dzieci nie mają indywidualnej świadomości? Czy to nie zbyt dramatyczne stawianie sprawy?

– Ja tylko stwierdzam fakt, poparty dowodem, który wam pokazałem.

Pokręciłem głową.

– Wykazał nam pan tylko, że są w stanie porozumiewać się w jakiś niewytłumaczalny sposób. To za mało, żeby opierać na tym teorię o braku indywidualności.

– Może za mało, gdyby to był tylko ten jeden dowód. Musicie jednak pamiętać, że choć widzieliście tylko ten jeden test, przeprowadziłem ich kilka i wynik żadnego z nich nie wykluczył koncepcji, którą nazywam zbiorowym indywidualizmem. Co więcej, to wcale nie jest tak dziwne *per se*, jak wygląda na pierwszy rzut oka. To całkiem dobrze utrwalona sztuczka ewolucyjna umożliwiająca obejście mankamentów. Liczne formy życia, które na pierwszy rzut oka wydają się jednostkowymi bytami, w rzeczywistości są koloniami organizmów, które nie zdołałyby przetrwać, gdyby nie wytworzyły zbiorowisk działających jak jeden organizm. Trzeba przyznać, że najlepsze tego przykłady znajdujemy wśród organizmów niższych, ale nie ma powodu, żeby to zjawisko ograniczało się do nich. Wiele owadów zbliża się do tego stanu. Prawa fizyki nie pozwalają im zwiększyć rozmiarów ciała, więc uzyskują większą skuteczność, działając jako grupa. My, ludzie, nie instynktownie, lecz świadomie tworzymy grupy, w tym samym celu. Dlaczego więc Natura nie miałaby stworzyć efektywniejszej metody od tej, jaką niezdarnie próbujemy przezwyciężyć nasze mankamenty? Byłby to przypadek Natury kopiującej sztukę. Już od pewnego czasu na drodze dalszego rozwoju napotykamy bariery i musimy znaleźć sposób, żeby je obejść. Jak pamiętacie, George Bernard Shaw stwierdził, że pierwszym krokiem byłoby wydłużenie ludzkiego życia do trzystu lat. Mógłby to być jeden ze sposobów – i niewątpliwie koncepcja wydłużenia życia jednostki silnie przemawia do zwolenników indywidualizmu – ale są też inne możliwości i choć może nie jest to droga ewolucji, jakiej można oczekiwać u wyższych form życia, jest niezaprzeczalnie realna, aczkolwiek niekoniecznie musi prowadzić do sukcesu.

Zerknąłem na Janet i po jej minie poznałem, że wyłączyła się z rozmowy. Gdy dochodziła do wniosku, że ktoś plecie bzdury, zawsze natychmiast przestawała go słuchać. Ja pogrążyłem się w myślach, spoglądając za okno.

– Czuję się – powiedziałem wreszcie – jak kameleon umieszczony w otoczeniu, którego barwy nie potrafi przybrać. Jeśli dobrze zrozumiałem, twierdzi pan, że w obu tych grupach umysły tworzą zbiorową świadomość. Czy to oznacza, że zbiorowa inteligencja chłopców jest trzydziestokrotnie, a dziewczynek dwudziestoośmiokrotnie większa od przeciętnej?

– Nie sądzę – odparł całkiem poważnie Zellaby – i dzięki Bogu z pewnością nie oznacza to również kilkudziesięciokrotnego zwiększenia zdolności, czego skutki byłyby niewyobrażalne. Wydaje się, że dzięki zbiorowej świadomości ich inteligencja jest kilkakrotnie większa od przeciętnej, ale nie da się tego ocenić na tym etapie ich rozwoju – i być może nigdy. To może zapowiadać niesamowite rzeczy. W tej chwili jednak najważniejsza wydaje mi się siła woli, jaką wykazują – ponieważ może to mieć bardzo poważne konsekwencje. Nie wiadomo, w jaki sposób wywołują ten przymus, ale zakładam, że badania mogą wykazać, iż zbiorowa siła woli skupiona, że tak powiem, w jednym naczyniu, ulega heglowskiej przemianie:

po przekroczeniu masy krytycznej zaczyna wykazywać nową jakość. W tym wypadku zdolność wywoływania wewnętrznego przymusu. Przyznaję jednak, że to czyste spekulacje – i przewiduję, że będzie ich jeszcze piekielnie dużo, a wszystkie wymagające zbadania.

– Wszystko to wydaje mi się niewiarygodnie skomplikowane – jeśli ma pan rację.

– Detale i mechanika, owszem – przyznał Zellaby – ale myślę, że ogólna zasada nie jest tak skomplikowana, jak się początkowo wydaje. W końcu zgodzi się pan, że człowiek jest ucieleśnieniem duszy?

– Oczywiście. – Skinąłem głową.

– No cóż, duch ludzki jest siłą, zatem nie jest statyczny, tak więc jest czymś, co musi się rozwijać lub obumrzeć. Ewolucja ducha zakłada jego przejście na wyższy poziom. Załóżmy, że ten wytwór, ten superduch, próbuje pojawić się na scenie. Gdzie ma zamieszkać? Zwykły człowiek go nie pomieści, a nie ma nadczłowieka, który by go przyjął. Może więc z braku odpowiedniej jednostki wybierze grupę – jak odpowiednik wielotomowej encyklopedii? Tego nie wiem. Gdyby jednak tak się stało, to istnienie dwóch superduchów, rezydujących w dwóch takich grupach, wcale nie jest mniej prawdopodobne. – Zamilkł, spoglądając przez otwarte okna i obserwując trzmiela przelatującego z jednego kwiatka lawendy na drugi, po czym dodał w zadumie: – Długo rozmyślałem o tych dwóch grupach. Pomyślałem nawet, że należałoby nadać nazwy tym dwom superduchom. Można by sądzić, że jest mnóstwo nazw, spośród których można wybierać, a jednak odkryłem, że tylko dwie z nich nieustannie przychodzą mi na myśl. Nie wiem czemu, ale wciąż myślę o... Adamie... i Ewie.

* * *

Dwa lub trzy dni później otrzymałem list z wiadomością, że mogę objąć posadę w Kanadzie, o którą się ubiegałem – jeśli przyjadę natychmiast. Zrobiłem to, zostawiając Janet, żeby uporządkowała nasze sprawy i dołączyła do mnie.

Kiedy przybyła, przywiozła niewiele wiadomości z Midwich, poza tą o dość jednostronnym zatargu, który wybuchł między Freemanami a Zellabym.

Wyglądało na to, że Zellaby zawiadomił Bernarda Westcotta o swoich odkryciach. Poproszono o dalsze szczegóły Freemanów, dla których ten pomysł był czymś zupełnie nowym, i instynktownie byli mu przeciwni. Natychmiast przeprowadzili własne eksperymenty, które najwyraźniej wprawiały ich w coraz głębsze przygnębienie.

– Sądzę, że przynajmniej nie będziemy mieli Adama i Ewy – dodała. – Ach, ten Zellaby! Nigdy nie przestanę dziękować losowi za to, że akurat wtedy wyjechaliśmy do Londynu. Wyobraź sobie, że zostałabym matką jednej trzydziestej pierwszej części Adama lub jednej dwudziestej dziewiątej części Ewy. I tak było niewesoło, ale na całe szczęście już nas to nie dotyczy. Mam dość Midwich i wcale się nie zmartwię, jeśli już nigdy o nim nie usłyszę.

CZĘŚĆ DRUGA

ROZDZIAŁ 16

Teraz jest nas dziewięcioro

Przez kilka następnych lat przyjeżdżaliśmy do Anglii na krótko, żeby odwiedzić krewnych, a w przerwach umacnialiśmy kontakty biznesowe. Ani razu nie byłem nawet w pobliżu Midwich i w istocie rzadko nawet o nim myślałem. Jednak osiem lat po naszym wyjeździe udało mi się wyrwać z pracy na sześć tygodni i pod koniec pierwszego tygodnia wpadłem na Piccadilly na Bernarda Westcotta.

Poszliśmy do Naval and Military Club na drinka. W trakcie rozmowy zapytałem go o Midwich. Chyba spodziewałem się usłyszeć, że cała sprawa rozeszła się po kościach, ponieważ kiedy czasem wspominałem tę wieś i jej mieszkańców, wszystko wydawało się nierealne jak wzięte z dawnej, teraz zupełnie niewiarygodnej opowieści. Byłem prawie pewny, że usłyszę, iż dzieci nie spowija już aura niecodzienności i, jak to często bywa, pomimo wszystko nie spełniły oczekiwań: nie są geniuszami, lecz gromadą zwyczajnych wiejskich dzieciaków wyróżniających się jedynie niezwykłym wyglądem.

Bernard namyślał się chwilę, po czym rzekł:

– Tak się składa, że muszę pojechać tam jutro. Może zechciałbyś mi towarzyszyć, odnowić stare znajomości i odświeżyć wspomnienia?

Janet pojechała na tydzień na północ odwiedzić przyjaciółkę ze szkolnej ławy, więc zostałem sam i nie miałem nic do roboty.

– A więc wciąż masz tę wieś na oku? Owszem, chętnie pojechałbym tam i porozmawiał ze znajomymi. Czy Zellaby nadal ma się dobrze?

– Och, tak. Jest jednym z tych suchych jak szczapa facetów, którzy wydają się niezniszczalni.

– Kiedy widziałem go ostatnio – jeszcze przed naszym wyjazdem – miał jakąś dziwaczną teorię dotyczącą złożonej osobowości. Charyzmatyczny mówca. Potrafi uwiarygodnić najbardziej karkołomną koncepcję. O ile pamiętam, chodziło o Adama i Ewę.

– Zobaczysz, że wcale się nie zmienił – zapewnił mnie Bernard, ale nie rozwijał tego tematu. Zamiast tego dodał: – Obawiam się, że jadę tam z nieprzyjemnym zadaniem; poznać orzeczenie sądu w sprawie przyczyny zgonu, ale ty nie musisz brać w tym udziału.

– Chodzi o jedno z dzieci? – zapytałem.

– Nie. – Pokręcił głową. – Chodzi o wypadek drogowy, w którym zginął miejscowy chłopak, niejaki Pawle.

– Pawle – powtórzyłem. – Ach, tak, pamiętam. Mają farmę kawałek za wsią, bliżej Oppley.

– Otóż to. Farma nazywa się Dacre. Tragedia.

Wydawało mi się, że byłbym wścibski, gdybym zapytał, dlaczego akurat on ma się tym zająć, więc pozwoliłem mu zmienić temat i zapytać mnie o moje wrażenia z Kanady.

Następnego ranka, w ładny letni dzień, wyruszyliśmy zaraz po śniadaniu. Najwyraźniej uznał, że w samochodzie może mówić swobodniej niż w klubie.

– W Midwich zastaniesz wiele zmian – ostrzegł mnie. – W waszym dawnym domu mieszka teraz małżeństwo Weltonów – on rysuje, a ona lepi garnki. Nie pamiętam, kto teraz zajmuje mieszkanie po Crimmie – od czasu Freemanów zmieniło się tam wielu lokatorów. Jednak najbardziej zaskoczy cię The Grange. Zmieniono tablicę; teraz głosi: „Midwich Grange – Szkoła Specjalna Ministerstwa Oświaty".

– Ach, tak? Dzieci? – spytałem.

– Właśnie. – Skinął głową. – Ta dziwaczna koncepcja Zellaby'ego nie była taka dziwna jak się wydawało. W istocie trafił w dziesiątkę – ku ogromnej konsternacji Freemanów. Zawstydził ich tak, że musieli się stąd zwinąć jak niepyszni.

– Mówisz o tej jego teorii z Adamem i Ewą? – spytałem z niedowierzaniem.

– Niezupełnie. Mam na myśli koncepcję dwóch grup wykazujących zbiorową świadomość. Wkrótce okazało się, że miał co do tego rację. Wszystkie dowody to potwierdzały i na tym się nie skończyło. W wieku zaledwie trochę ponad dwóch lat jeden z chłopców nauczył się czytać proste słowa...

– W wieku dwóch lat! – wykrzyknąłem.

– Odpowiednik czterech lat zwykłego dziecka – przypomniał mi. – A następnego dnia okazało się, że każdy chłopiec z ich grupy umie je przeczytać. Od tej chwili robili zdumiewające postępy. Dopiero po kilku tygodniach jedna z dziewczynek nauczyła się czytać, ale wtedy wszystkie pozostałe też zdobyły tę umiejętność. Później jeden chłopczyk nauczył się jeździć na rowerze i zaraz potem każdy z nich od razu też to potrafił. Pani Brinkman nauczyła swoją dziewczynkę pływać, a wtedy wszystkie pozostałe także to umiały, ale chłopcy nie, dopóki jeden z nich nie załapał, jak się to robi – i inni także. Och, od chwili, gdy Zellaby to zauważył, nie było co do tego żadnych wątpliwości. Rzecz w tym, że było – i nadal jest – szereg sporów na różnych szczeblach o jego wniosek, że każda z tych dwóch grup ma zbiorową świadomość. Niewiele osób podziela jego zdanie. Dopuszczają możliwość przekazywania myśli, wysoki stopień intuicyjnego zrozumienia lub jakiś nieznany nam sposób porozumiewania się osobników w tych grupach, ale nie natychmiastowe współdzielenie informacji przez wszystkie jednostki. Ta koncepcja ma niewielkie poparcie.

Wcale mnie to nie zdziwiło, ale Bernard mówił dalej:

– Poza tym to czysto akademickie rozważania. Chodzi o to, że jakkolwiek to się dzieje, te dzieci naprawdę współdzielą wszelkie informacje w swoich grupach. No cóż, posyłanie ich do zwyczajnej szkoły oczywiście nie wchodziło w grę – gdyby poszły do szkół w Oppley lub Stouch już po kilku dniach zaczęłyby krążyć o nich plotki. Tak więc zaangażowano Ministerstwo Oświaty oraz Ministerstwo Zdrowia i w rezultacie otwarto The Grange jako połączenie szkoły, placówki opieki społecznej i ośrodka doświadczalnego. Rezultaty przekroczyły oczekiwania. Od samego początku było oczywiste, że później będą z tymi dziećmi problemy. Mają odmienne poczucie wspólnoty – rozumieją ją inaczej niż my. Łączące ich więzi są dla nich ważniejsze niż normalne więzi rodzinne. Niektórzy rodzice praktycznie odrzucili te dzieci jako zbyt odmienne, aby mogły stać się członkami rodziny; nie potrafiły się zaprzyjaźnić z normalnymi dziećmi i wyglądało na to, że te trudności rosną z czasem. Ktoś z The Grange wpadł na pomysł, żeby urządzić tam dla nich internat. Nie było żadnych nacisków ani namów – po prostu mogły się tam wprowadzić, jeśli chciały i kilkanaścioro zrobiło to, dość szybko. Potem stopniowo dołączyły do nich pozostałe. Tak jakby przekonały się, że niewiele mają wspólnego z mieszkańcami wioski i wolą towarzystwo podobnych sobie.

– Dziwny układ. Co o tym myśleli mieszkańcy wioski? – spytałem.

– Oczywiście niektórzy wyrazili dezaprobatę – bardziej z przyzwyczajenia niż z przekonania. Wielu z nich z ulgą pozbyło się odpowiedzialności, która ich przerażała, chociaż nie chcieli się do tego przyznać. Nieliczni darzyli je – i nadal darzą – szczerym uczuciem, więc bardzo to przeżyli. Jednak na ogół po prostu zaakceptowano ten fakt. Oczywiście, nikt tak naprawdę nie próbował powstrzymać przenosin dziecka do The Grange, ponieważ nic by to nie dało. Dzieci tych matek, które darzą je uczuciem, nadal pozostają z nimi w dobrych stosunkach i odwiedzają je, kiedy mają ochotę. Inne zerwały wszelkie kontakty.

– To najdziwniejszy układ, o jakim słyszałem – stwierdziłem.

Bernard się uśmiechnął.

– Cóż, jeśli sięgniesz pamięcią wstecz, to przypomnisz sobie, że początek też był dziwny – zauważył.

– Co one robią w The Grange? – zapytałem.

– Przede wszystkim jest to szkoła, tak jak głosi napis. Mają tam pedagogów, opiekunów oraz psychologów i inny personel. A także wielu wybitnych nauczycieli, którzy przyjeżdżają i prowadzą krótkie kursy z rozmaitych dziedzin. Z początku prowadzono lekcje dla całych klas, jak w zwyczajnej szkole, aż ktoś uświadomił sobie, że nie jest to konieczne. Tak więc teraz na lekcje chodzi jeden chłopiec i jedna dziewczynka, a wszyscy pozostali wiedzą to, czego tych dwoje się nauczyło. I plan lekcji też nie jest potrzebny. Można jednocześnie nauczać różnych przedmiotów sześć par, które jakoś dzielą się zdobytą wiedzą z pozostałymi, z takim samym rezultatem.

– Wielkie nieba, przecież w ten sposób chłoną wiedzę jak bibuła atrament.

– Istotnie. Co budzi dreszcz zgrozy u niektórych nauczycieli.

– A jednak nadal udaje się wam utrzymać ich istnienie w tajemnicy?

– Przed większością społeczeństwa, owszem. Nadal mamy porozumienie z prasą – a ponadto z punktu widzenia dziennikarzy teraz ta historia nie jest już tak sensacyjna jak w początkowej fazie. Co do najbliższej okolicy, to włożyliśmy w to trochę pracy. Mieszkańcy Midwich chyba nigdy nie mieli w okolicy dobrej reputacji – łagodnie mówiąc, uważano ich za przygłupich. No cóż, z naszą niewielką pomocą, ta opinia jeszcze się pogorszyła. Jak zapewnia mnie Zellaby, w sąsiednich wioskach uważają Midwich za rodzaj domu wariatów bez krat. Powszechnie wiadomo, że ucierpiało podczas Komy, która szczególnie dotknęła dzieci, nazywane „pokręconymi" – opóźnione w rozwoju do tego stopnia, że humanitarny rząd uznał za konieczne utworzenie dla nich szkoły specjalnej. Och, tak, podtrzymujemy powszechne przekonanie, że Midwich to miejscowy rezerwat nieudaczników. Toleruje się ich tak jak nawiedzonych krewnych. Czasem rozchodzą się plotki, ale akceptuje się tę sytuację jako niefortunny przypadek, którym nie należy się chwalić przed światem. Nawet sporadyczne protesty niektórych mieszkańców Midwich nie są traktowane poważnie, ponieważ w końcu cała wioska przeżyła to samo, tak więc każdy tu musi być w mniejszym lub większym stopniu „dotknięty Komą".

– To wymagało wiele zabiegów i trudu – stwierdziłem. – Czego nie rozumiałem i nadal nie rozumiem, to dlaczego tak bardzo zależało wam i zależy na wyciszeniu tej sprawy. Zachowanie jej w tajemnicy podczas Komy jest zrozumiałe – coś wylądowało tu bez zezwolenia, więc zaniepokoiło tajne służby. Ale teraz...? Tyle zachodu, żeby nadal trzymać dzieci w ukryciu. Ten dziwny układ z The Grange. Taka szkoła specjalna nie kosztuje paru marnych funtów rocznie.

– Nie uważasz, że państwo opiekuńcze powinno poważnie traktować swoje obowiązki? – odrzekł.

– Daj spokój, Bernardzie – powiedziałem.

Jednak nie dał. Chociaż nadal mówił o dzieciach i sytuacji w Midwich, to unikał odpowiedzi na pytanie, które mu zadałem.

Zjedliśmy wczesny lunch w Trayne i trochę po drugiej wjechaliśmy do Midwich. Odniosłem wrażenie, że nic się tam nie zmieniło. Jakby od dnia, w którym widziałem je ostatnio, minął tydzień, a nie osiem lat. Na Błoniu już zebrał się spory tłum czekających przed ratuszem, gdzie miał obradować sąd.

– Wygląda na to – powiedział Bernard, gdy zaparkował samochód – że będzie lepiej, jeśli odłożysz wizyty u znajomych na później. Praktycznie chyba są tutaj wszyscy.

– Jak myślisz, długo to potrwa? – zapytałem.

– To powinno być czystą formalnością – przynajmniej taką mam nadzieję. Zapewne po pół godzinie będzie po wszystkim.

– Będziesz zeznawał? – spytałem, zastanawiając się, dlaczego, jeśli to czysta formalność, fatygował się tu aż z Londynu.

– Nie. Chcę tylko trzymać rękę na pulsie – odparł.

Zdecydowałem, że miał rację, proponując mi, żebym odłożył wizyty na później; wszedłem za nim do ratusza. Gdy sala się zapełniała, patrząc na znajome postacie wchodzące i zajmujące miejsca, nie wątpiłem już, że niemal wszyscy mieszkańcy wsi, którzy mogli się poruszać, postanowili wziąć w tym udział. Nie rozumiałem dlaczego. Oczywiście wszyscy znali Jima Pawle'a, ofiarę wypadku, ale to wydawało się niewystarczającym powodem i absolutnie nie tłumaczyło napięcia panującego na sali. Po kilku minutach przestałem wierzyć, że rozprawa będzie czystą formalnością, jak przepowiadał Bernard. Nieświadomie spodziewałem się jakiejś gwałtownej reakcji któregoś z zebranych.

Jednak nic takiego się nie zdarzyło. Rozprawa istotnie była czystą formalnością i trwała krótko. Zakończyła się przed upływem pół godziny.

Zauważyłem, że Zellaby wymknął się z sali natychmiast po zakończeniu spotkania. Stał na schodach na zewnątrz, czekając, aż wyjdziemy. Powitał mnie, jakbyśmy się widzieli parę dni temu, po czym spytał:

– Skąd się pan tu wziął? Myślałem, że jest pan w Indiach.

– W Kanadzie – sprostowałem. – Jestem tu przypadkiem.

I wyjaśniłem, że przywiózł mnie Bernard.

– Zadowolony? – zapytał go.

Bernard nieznacznie wzruszył ramionami.

– Czemu nie? – rzekł.

W tym momencie przeszła obok nas para nastolatków i pomaszerowała drogą z rozchodzącym się tłumem. Ledwie zdążyłem zobaczyć ich twarze, ale i tak szeroko otworzyłem oczy ze zdumienia.

– To chyba nie są...? – zacząłem.

– Są – rzekł Zellaby. – Nie widział pan ich oczu?

– To niesamowite! Przecież oni mają dopiero po dziewięć lat!

– Kalendarzowych – potwierdził Zellaby.

Odprowadzałem wzrokiem odchodzące dzieci.

– Przecież to... niewiarygodne!

– Jak może pan pamięta, niewiarygodne rzeczy zdarzają się w Midwich częściej niż gdzie indziej – zauważył Zellaby. – Nieprawdopodobne akceptujemy natychmiast; niewiarygodne dopiero po jakimś czasie, ale nauczyliśmy się i tego. Czy pułkownik pana nie ostrzegł?

– W pewnym sensie tak – przyznałem. – Jednak coś takiego! Wyglądają na szesnasto- lub siedemnastolatków.

– Zapewniam pana, że fizycznie nimi są.

Nadal nie odrywałem od nich oczu, wciąż nie mogąc w to uwierzyć.

– Jeśli się wam nie spieszy, zajdźcie do mnie na herbatę – zaprosił nas Zellaby.

Bernard zerknął na mnie i zaproponował podwózkę swoim samochodem.

– Dobrze – powiedział Zellaby – ale proszę jechać ostrożnie, po tym, co pan usłyszał.

– Jestem ostrożnym kierowcą – rzekł Bernard.

– Młody Pawle też był ostrożnym, a ponadto bardzo dobrym kierowcą – odparł Zellaby.

W połowie podjazdu ujrzeliśmy Kyle Manor grzejący się w popołudniowym słońcu.

– Właśnie tak wyglądał, kiedy ujrzałem go po raz pierwszy – powiedziałem. – Pomyślałem wtedy, że kiedy podjadę bliżej, to pewnie usłyszę, jak mruczy niczym kot, i w taki sposób do tej pory o nim myślę.

Zellaby skinął głową.

– Gdy ja go zobaczyłem pierwszy raz, wydawało mi się, że to dobre miejsce, żeby w spokoju dożyć swoich dni – teraz jednak myślę, że ten spokój jest wątpliwy.

Pozostawiłem to bez komentarza. Przejechaliśmy przed frontem domu i zaparkowaliśmy z boku, przy stajniach. Zellaby poprowadził nas na werandę i usadowił nas na wyściełanych wiklinowych fotelach.

– Angela wyszła, ale obiecała wrócić na podwieczorek – powiedział.

Wyciągnął się wygodnie i przez chwilę spoglądał na trawnik. Te dziewięć lat, które minęły od Komy, potraktowały go łaskawie. Siwą czuprynę nadal miał gęstą i lśniącą jak księżyc w sierpniu. Może przybyło mu zmarszczek pod oczami, a twarz stała się bardziej pociągła i pobrużdżona, lecz jeśli schudł jeszcze bardziej, to nie więcej niż o cztery lub pięć funtów.

W końcu zwrócił się do Bernarda:

– Zatem jest pan zadowolony. Sądzi pan, że na tym się skończy?

– Taką mam nadzieję. Nic nie można było zrobić. Najrozsądniej było zaakceptować werdykt, i tak też się stało – powiedział Bernard.

– Hmm – mruknął Zellaby. Zwrócił się do mnie: – A co pan, jako bezstronny obserwator, sądzi o dzisiejszym popołudniowym spektaklu?

– Nie... och, ma pan na myśli rozprawę. Na sali panowała dziwna atmosfera, ale miałem wrażenie, że cała rozprawa przebiegła gładko i prawidłowo. Chłopak jechał nieostrożnie. Potrącił przechodnia. Przestraszył się i bardzo niemądrze usiłował uciec z miejsca wypadku. Zbyt szybko próbował wziąć zakręt koło kościoła i w rezultacie uderzył w mur. Czy sugeruje pan, że „śmierć w wypadku" to niewłaściwe określenie? Można to nazwać nieszczęśliwym wypadkiem, ale wychodzi na to samo.

– To rzeczywiście był nieszczęśliwy wypadek – rzekł Zellaby – ale rzecz w tym, że zdarzył się trochę wcześniej. Pozwólcie, że opowiem wam, co naprawdę się stało – ponieważ wcześniej tylko krótko poinformowałem o tym pułkownika...

Zellaby wracał ze swego popołudniowego spaceru szosą łączącą Midwich z Oppley. Gdy zbliżał się do Hickham Lane, czwórka dzieci wyłoniła się zza zakrętu i gęsiego poszła przed nim w kierunku wioski.

Grupka składała się z trzech chłopców i jednej dziewczynki. Zellaby jak zwykle przyglądał im się z zainteresowaniem. Chłopcy byli tak podobni do siebie, że nie rozróżniłby ich, nawet gdyby chciał, ale nie próbował; już jakiś czas temu uznał to za stratę czasu. Większość mieszkańców wioski – poza kilkoma kobietami, które rzadko miewały jakiekolwiek wątpliwości – również ich nie odróżniała, a dzieci do tego przywykły.

Jak zawsze zadziwiało go to, że rozwinęły się tak bardzo w tak krótkim czasie. Już samo to czyniło z nich odmienny gatunek istot – bo nie była to tylko kwestia wczesnej dojrzałości; rozwijały się dwukrotnie szybciej od normalnych dzieci. Może miały trochę delikatniejszą budowę ciała od swoich zwyczajnych rówieśników, ale były po prostu szczuplejsze, bynajmniej nie cherlawe czy tyczkowate.

I jak zawsze zapragnął poznać je lepiej i dowiedzieć się o nich więcej. Dotychczas poczynił w tej sprawie niewielkie postępy, ale nie z braku chęci. Próbował je poznać, cierpliwie i usilnie, od kiedy przyszły na świat. Akceptowały go tak samo jak wszystkich ludzi, a on ze swej strony zapewne rozumiał je całkiem dobrze, jeśli nie lepiej niż ich mentorzy w The Grange. Pozornie traktowały go przyjaźnie – jak niewielu innych – chętnie z nim rozmawiały, słuchały, uśmiechały się i uczyły; jednak zachowywały dystans i miał wrażenie, że to nigdy się nie zmieni. Zawsze tuż pod powierzchowną uprzejmością kryła się bariera. Za nią kryła się ich prawdziwa osobowość i natura, a to, co robiły i mówiły, wynikało z przystosowania się do okoliczności. Relacje między nimi a Zellabym były dziwnie niepełne i bezosobowe; brakowało w nich uczucia i zrozumienia. Dzieci wydawały się żyć we własnym świecie, równie odizolowane od ogółu społeczeństwa jak jakieś plemię z Amazonii, które ma własne normy i etykę. Okazywały zainteresowanie i się uczyły, ale wydawały się po prostu gromadzić wiedzę – trochę tak jak żongler zdobywa swoje umiejętności i choć doskonale je opanuje, nie wywierają one żadnego wpływu na jego osobowość. Zellaby zastanawiał się, czy ktokolwiek potrafiłby się do nich zbliżyć. Personel The Grange był małomówny, ale z tego, co zdołał się dowiedzieć, nawet najbardziej asertywni pedagodzy napotykali tę samą barierę.

Obserwując idące przed nim i rozmawiające ze sobą dzieci, nagle pomyślał o Ferrelyn. Teraz nie przyjeżdżała w odwiedziny tak często, jakby chciał; widok dzieci wciąż ją niepokoił, a on nie próbował jej namawiać i pocieszał się myślą, że jest szczęśliwa ze swymi dwoma chłopcami.

Dziwnie było pomyśleć, że gdyby urodzone w wyniku Komy dziecko Ferrelyn przeżyło, zapewne nie umiałby go odróżnić od tych idących przed nim, tak samo jak nie rozróżniał ich. To było trochę upokarzające, ponieważ zrównywało go z panną Ogle, która radziła sobie z tym, zakładając, że każdy napotykany w wiosce chłopak z The Grange jest jej synem – i co ciekawe, żaden z nich nigdy nie zaprzeczył.

W końcu idąca przed nim czwórka skręciła w boczną uliczkę i znikła mu z oczu. Właśnie dotarł do rogu ulicy, gdy wyprzedził go samochód, tak więc Zellaby dobrze widział to, co nastąpiło.

Mały, dwuosobowy samochód nie jechał szybko, ale dzieci zatrzymały się tuż za zakrętem, który je zasłaniał. Stały na środku ulicy, jakby się naradzały, w którą pójść stronę.

Kierowca zrobił, co mógł. Ostro skręcił w prawo, usiłując je wyminąć – i prawie mu się to udało. Jeszcze dwa cale i zdołałby je ominąć. Jednak zabrakło mu tych dwóch cali. Lewy błotnik samochodu zawadził o biodro stojącego z brzegu chłopca i rzucił go na płot ogrodu.

Ta scena utrwaliła się w pamięci Zellaby'ego jak zatrzymana w ruchu. Chłopiec pod płotem, troje znieruchomiałych na ulicy dzieci, młodzieniec wyrównujący kurs wciąż hamującego pojazdu.

Zellaby nie był pewny, czy samochód się zatrzymał; jeśli tak, to tylko na moment, a potem pomknął naprzód z rykiem silnika. Kierowca zmienił bieg i dodał gazu, pędząc przed siebie. Nawet nie próbował skręcić w lewo. Wciąż przyspieszał, gdy uderzył w mur przykościelnego cmentarza. Samochód zmienił się w stertę złomu, a kierowca wyleciał przez przednią szybę i uderzył głową w mur.

Ludzie krzyczeli, a nieliczni znajdujący się w pobliżu pobiegli na pomoc. Zellaby nie ruszył się z miejsca. Stał oniemiały i patrzył na buchające żółte płomienie i unoszący się czarny dym. Potem sztywno jak automat obrócił głowę i spojrzał na dzieci. One też spoglądały na wrak, wszystkie z takim samym wyrazem twarzy. Widział to tylko przez chwilę, ponieważ cała trójka odwróciła się do chłopca, który leżał pod płotem i jęczał.

Zellaby uświadomił sobie, że cały drży. Niepewnie przeszedł kilka kroków, aż dotarł do ławki stojącej na skraju Błoni. Usiadł na niej i odchylił głowę do tyłu, blady i wstrząśnięty.

Dalszy przebieg tego zdarzenia poznałem nieco później i nie z relacji Zellaby'ego, ale pani Williams z pubu The Scythe and Stone.

– Usłyszałam przejeżdżający samochód, potem huk, a gdy wyjrzałam przez okno, zobaczyłam biegnących ludzi – powiedziała. – Potem zauważyłam pana Zellaby'ego chwiejnie idącego do ławki przy Błoniu. Usiadł i odchylił głowę do tyłu, ale zaraz mu opadła, jakby zemdlał. Wtedy przebiegłam przez ulicę i dotarłam do niego. Okazało się, że rzeczywiście prawie stracił przytomność. Jednak nie całkiem. Zdołał wykrztusić ochrypłym szeptem coś o pigułkach w kieszeni. Znalazłam je. Na opakowaniu było napisane, żeby zażywać dwie, ale wyglądał tak kiepsko, że podałam mu cztery. Nikt inny nie zwracał na niego uwagi. Wszyscy pobiegli na miejsce wypadku. No cóż, te pigułki istotnie dobrze mu zrobiły, więc po pięciu minutach pomogłam mu dojść do domu i położyłam na sofie w saloniku. Powiedział, że nic mu nie będzie, musi tylko trochę odpocząć, więc poszłam zapytać, co z tym samochodem. Kiedy wróciłam, nie był już taki blady, ale wciąż leżał, jakby zupełnie opadł z sił.

„Przepraszam, że sprawiam kłopot, pani Williams. To szok" – powiedział.

„Lepiej sprowadzę lekarza, panie Zellaby" – zaproponowałam.

On jednak przecząco pokręcił głową.

„Nie. Proszę go nie wzywać. Za kilka minut dojdę do siebie" – powiedział.

„Myślę, że powinien pana zbadać – stwierdziłam. – Napędził mi pan strachu, naprawdę".

„Bardzo mi przykro z tego powodu – odrzekł. I po chwili milczenia dodał: – Pani Williams, z pewnością potrafi pani dochować tajemnicy?"

„Sądzę, że równie dobrze jak każdy" – odparłam.

„Cóż, będę bardzo wdzięczny, jeśli nikomu pani nie wspomni o tej mojej… chwilowej niemocy".

„No, nie wiem – rzekłam. – Moim zdaniem powinien pan pójść do lekarza".

Znów pokręcił głową.

„Byłem u wielu lekarzy, pani Williams, drogich i uznanych. Jednak na starość nie ma lekarstwa, droga pani; z wiekiem maszyneria zaczyna zawodzić, i tyle".

„Och, panie Zellaby…" – zaczęłam.

„Proszę się nie przejmować, pani Williams. Pod wieloma względami jeszcze nieźle się trzymam, więc może nie nastąpi to tak zaraz. Tymczasem jednak uważam, że nie należy martwić swoich najbliższych bardziej niż to konieczne, nie sądzi pani? Z pewnością zgodzi się pani, że byłoby nieładnie przysparzać im niepotrzebnych zmartwień?"

„Cóż, tak, proszę pana, jeśli jest pan pewny, że to nic takiego...?"

„Jestem pewny. Najzupełniej. Już jestem pani dłużnikiem, pani Williams, ale nie przysłużyłaby mi się pani, nie dotrzymując tajemnicy. Czy mogę na pani polegać?"

„No dobrze. Jeśli tego pan sobie życzy, panie Zellaby" – powiedziałam.

„Dziękuję, pani Williams. Bardzo pani dziękuję" – rzekł.

Potem, po chwili, zapytałam go:

„A zatem widział pan, jak do tego doszło? To musiał być wstrząsający widok".

„Owszem – potwierdził. – Widziałem to, ale nie wiem, kto siedział za kierownicą".

„Młody Jim Pawle – wyjaśniłam – z farmy Dacre".

Potrząsnął głową.

„Pamiętam go – miły młodzieniec".

„Tak, proszę pana. Dobry był chłopak z tego Jima. Nie rozwydrzony jak niektórzy. Nie mam pojęcia, dlaczego tak szybko jechał przez wieś. To do niego niepodobne".

Milczeliśmy chwilę, po czym powiedział dziwnym tonem:

„Przedtem potrącił jedno z Dzieci – chłopca. Niezbyt mocno, jak sądzę, ale go przewrócił".

„Jedno z Dzieci... – powtórzyłam. I nagle zrozumiałam, co miał na myśli. – Och nie, proszę pana! Mój Boże, one chyba nie..."

I znów zamilkłam, widząc wyraz twarzy, z jakim na mnie patrzył.

„Inni ludzie też to widzieli – powiedział. – Zdrowsi... albo mniej podatni na stres... Może i na mnie nie zrobiłoby to takiego wrażenia, gdybym w jakimś momencie mojego długiego życia był już świadkiem morderstwa z premedytacją..."

Jednak relacja, którą zdał nam Zellaby, zakończyła się na tym, jak roztrzęsiony usiadł na ławce. Kiedy skończył, spojrzałem na Bernarda. Z jego twarzy niczego nie zdołałem wyczytać, więc spytałem:

– Sugeruje pan, że zrobiły to Dzieci... że to one zmusiły go, żeby wjechał na mur?

– Niczego nie sugeruję – odparł Zellaby, ze smutkiem kręcąc głową – tylko stwierdzam. Zrobiły to, tak jak zmusiły swoje matki, żeby tu z nimi wróciły.

– A świadkowie... ci, którzy złożyli zeznania...?

– Doskonale wiedzą, co naprawdę się stało. Jednak na rozprawie mogli mówić tylko o tym, co widzieli.

– Przecież jeśli wiedzą, jak pan twierdzi...?

– I co z tego? Co by pan zeznał, gdyby pan to wiedział i gdyby wezwano pana na świadka? W takiej sprawie jak ta potrzebny jest wyrok, który zostanie zaakceptowany przez wyższą instancję, czyli mieszczący się w wyobraźni rozsądnego człowieka. Załóżmy, że jakimś cudem sąd orzekłby, że chłopak został zmuszony do samobójstwa; uważa pan, że ten wyrok nie zostałby uchylony? Oczywiście, że tak. Odbyłaby się druga rozprawa, zwołana w celu wydania „rozsądnego" wyroku, który byłby właśnie taki, jaki mamy teraz, więc dlaczego świadkowie mieliby na próżno ryzykować, że zostaną uznani za niewiarygodnych lub zabobonnych? Jeśli chce pan na to dowodu, to niech pan weźmie pod uwagę swoje obecne nastawienie. Jak pan wie, dzięki napisanym książkom jestem pewnym autorytetem, a ponadto zna mnie pan osobiście, ale co to jest warte wobec schematów myślowych „rozsądnego człowieka"? Tak niewiele, że kiedy mówię panu, co naprawdę się stało, najpierw próbuje pan znaleźć wyjaśnienie, które dowiodłoby, że w rzeczywistości nic takiego nie mogło się zdarzyć. Naprawdę powinien pan być rozsądniejszy. W końcu był pan tutaj, kiedy Dzieci zmusiły swoje matki do powrotu.

– Tego nie można porównywać z tym, co mówi mi pan teraz – zaprotestowałem.

– Nie? A zechciałby pan wyjaśnić zasadniczą różnicę pomiędzy zmuszaniem do czegoś nieprzyjemnego a czegoś zgubnego? Mój drogi, nie było tu pana tak długo, że stracił pan kontakt z miejscową rzeczywistością. Racjonalizm pana ogranicza. Tutaj niezwykłe rzeczy dzieją się każdego dnia.

Skorzystałem z okazji, żeby zmienić temat rozmowy.

– W jakim stopniu Willers zaniechał propagowania swojej teorii o zbiorowej histerii? – zapytałem.

– Odrzucił ją krótko przed śmiercią – odparł Zellaby.

Byłem zaskoczony. Zamierzałem zapytać Bernarda o doktora, ale zapomniałem o tym w natłoku innych tematów.

– Nie wiedziałem, że zmarł. Był dopiero po pięćdziesiątce, prawda? Jak to się stało?

– Przedawkował jakiś barbituran.

– On... chyba nie chce pan powiedzieć...? Przecież Willers nie był tego rodzaju człowiekiem...

– Zgadzam się z panem – rzekł Zellaby. – Oficjalna diagnoza brzmiała: „zaburzenia równowagi umysłowej". Niewątpliwie łagodne, ale niczego niewyjaśniające stwierdzenie. W istocie przywodzi na myśl umysł tak stabilny, że jakiekolwiek zaburzenia mogłyby być tylko korzystne. Oczywiście tak naprawdę nikt nie ma zielonego pojęcia, dlaczego Willers to zrobił. Z całą pewnością nie wie tego biedna pani Willers. Jednak takie wyjaśnienie musiało jej wystarczyć. – Milczał chwilę, po czym dodał: – Dopiero kiedy zrozumiałem, jaki musi być werdykt w sprawie śmierci młodego Pawle'a, zacząłem się zastanawiać, jak zginął Willers.

— Chyba nie myśli pan, że...?

— Nie wiem. Sam pan powiedział, że on nie był tego rodzaju człowiekiem. Teraz nagle się okazało, że życie tutaj jest znacznie bardziej niebezpieczne, niż myśleliśmy. To szokujące. Ponieważ, widzi pan, chociaż to młody Pawle wziął zakręt z tak fatalnym skutkiem, to równie dobrze na jego miejscu mogła być Angela lub ktoś inny... Nagle staje się jasne, że ona, ja czy ktokolwiek z nas w każdej chwili może przypadkiem zrobić coś, co skrzywdzi lub rozgniewa Dzieci... Ten biedny chłopiec nie ponosi żadnej winy. Zrobił, co mógł, żeby nie potrącić nikogo z tej czwórki, ale to było nieuniknione... A one w porywie gniewu zabiły go z zemsty. Tak więc trzeba podjąć decyzję. Jeśli o mnie chodzi... no cóż, to najbardziej interesująca sytuacja, z jaką dotychczas się zetknąłem. Bardzo chciałbym zobaczyć, jak się rozwinie. Jednak Angela jest jeszcze młoda, a Michael mały... Już odesłaliśmy go daleko stąd. Zastanawiam się, czy powinienem ją namówić, żeby też stąd wyjechała. Nie chcę tego robić, dopóki nie będę musiał, ale nie wiem, czy już nie nadeszła ta chwila. Przez tych kilka ostatnich lat żyliśmy jak na zboczu aktywnego wulkanu. Rozsądek mówi, że wzbiera w nim siła i prędzej czy później musi dojść do wybuchu. Jednak czas płynie i odczuwamy tylko sporadyczne wstrząsy, więc zaczynamy sobie wmawiać, że wybuch, który zdawał się nieuchronny, może wcale nie nastąpi. Zaczynamy się wahać. Zadaję sobie pytanie — czy ta sprawa z młodym Pawle'em to tylko silniejszy wstrząs, czy pierwsza zapowiedź wybuchu? Nie wiem. Przed kilkoma laty doskonale zdawaliśmy sobie sprawę z niebezpieczeństwa i opracowaliśmy plany, które zaczęły wydawać się niepotrzebne; teraz gwałtownie przypomnieliśmy sobie o nim, ale czy to zagrożenie jest już tak duże, że usprawiedliwia rozłąkę z najbliższą osobą, czy jeszcze tylko potencjalne?

Najwyraźniej był szczerze i głęboko zaniepokojony, a Bernard bynajmniej nie potraktował sceptycznie jego uwag. Czułem się zmuszony powiedzieć przepraszająco:

– Chyba pozwoliłem, by cała ta sprawa z Komą zatarła mi się w pamięci i gdy znów mam z nią styczność, muszę się z tym oswoić. Oto, jak działa podświadomość: usiłuje pomijać niewygodne fakty i sugerować, że szczególne cechy Dzieci zanikną z wiekiem.

– Wszyscy chcieliśmy w to wierzyć – rzekł Zellaby. – Wyszukiwaliśmy fakty dowodzące słuszności tej błędnej teorii.

– Wciąż jednak nie wie pan, jak to się dzieje – mówię o wywieraniu wewnętrznego przymusu.

– Nie wiem. Wydaje się to sprowadzać do pytania, jak jedna osobowość może górować nad drugą. Wszyscy znamy takie osoby, które potrafią zdominować każde zgromadzenie, w którym uczestniczą; wygląda na to, że Dzieci w wysokim stopniu rozwinęły umiejętność takiego zbiorowego oddziaływania i potrafią je ukierunkować. To jednak nie wyjaśnia, jak to robią.

Angela Zellaby, która niewiele się zmieniła, od kiedy widziałem ją ostatnio, kilka minut później wyszła z domu i zjawiła się na werandzie. Najwidoczniej czymś zatroskana, z wyraźnym trudem skupiła na nas uwagę i po krótkiej wymianie uprzejmości znów zaczęła błądzić myślami. Lekko niezręczną atmosferę rozładowało pojawienie się tacy z podwieczorkiem. Zellaby podjął próbę ratowania sytuacji.

– Richard i pułkownik też byli na rozprawie – powiedział. – Werdykt jest taki, jakiego się spodziewaliśmy. Zapewne słyszałaś?

Angela skinęła głową.

— Tak, byłam na farmie Dacre z panią Pawle. Pan Pawle przyniósł tę wiadomość. Biedna kobieta nie może się pozbierać. Uwielbiała Jima. Z trudem powstrzymano ją od wzięcia udziału w procesie. Chciała tam pójść i zdemaskować Dzieci – publicznie je oskarżyć. Razem z panem Leebodym zdołaliśmy odwieść ją od tego i przekonać, że niczego by nie osiągnęła, tylko narobiłaby kłopotu sobie oraz swoim bliskim. Dlatego dotrzymywaliśmy jej towarzystwa, aż wrócił jej mąż.

— Był tam drugi młody Pawle, David – powiedział jej Zellaby. – Kilkakrotnie wydawał się bliski realizacji planu matki, ale ojciec go powstrzymywał.

— Teraz zaczynam się zastanawiać, czy nie byłoby lepiej, gdyby ktoś jednak powiedział to publicznie – rzekła Angela. – To powinno wyjść na jaw. Kiedyś będzie musiało. W końcu nie chodzi o jakiegoś psa czy byka.

— Psa czy byka? Nic o tym nie wiem – wtrąciłem.

— Pies ugryzł jedno z Dzieci w rękę; minutę później wpadł pod traktor i zginął. Byk pogonił kilkoro z nich, po czym nagle skręcił, rozwalił dwa płoty i utonął w stawie koło młyna – wyjaśnił niezwykle lakonicznie Zellaby.

— Tym razem jednak – powiedziała Angela – mamy tu morderstwo. Och, nie twierdzę, że chciały je popełnić. Najprawdopodobniej były przestraszone i rozgniewane, i uderzyły na oślep, jak zwykle, gdy któremuś z nich dzieje się krzywda. Jednak to było morderstwo. Cała wioska o tym wie, a teraz wszyscy zobaczyli, że uszło im to na sucho. Po prostu nie możemy tak tego zostawić. Nie okazały żadnej skruchy. Wcale. To właśnie przeraża mnie najbardziej. Po prostu zrobiły to i już. A po dzisiejszym dniu wiedzą, że popełnione przez nie morderstwo nie zostaje ukarane. Co się stanie z każdym, kto w przyszłości im się przeciwstawi?

Zellaby w zadumie napił się herbaty.

– Wiesz, moja droga, chociaż mamy powody do niepokoju, to znalezienie wyjścia z tej sytuacji nie jest naszym obowiązkiem. Jeśli kiedykolwiek go mieliśmy, co jest bardzo wątpliwe, to władze już dawno nas od niego uwolniły. Obecny tu pułkownik reprezentuje je w pewnym stopniu – Bóg wie z jakiego powodu. A personel The Grange nie może ignorować tego, co wiedzą wszyscy w wiosce. Pracownicy ośrodka sporządzą swój raport, tak więc pomimo orzeczenia sądu władze się dowiedzą, jak naprawdę wygląda sytuacja – chociaż nie mam pojęcia, co będą w stanie zrobić w granicach prawa i „rozsądku". Poczekamy, zobaczymy. Nade wszystko jednak, moja droga, upraszam cię, żebyś nie robiła niczego, co poróżniłoby cię z Dziećmi.

– Nie zrobię, mój drogi. – Angela pokręciła głową. – Mam dla nich tchórzliwy respekt.

– Gołąb nie jest tchórzem, ponieważ boi się jastrzębia; jest po prostu mądry – odparł Zellaby i skierował rozmowę na bardziej ogólne tematy.

Zamierzałem odwiedzić Leebodych oraz parę innych osób, ale zanim wyszliśmy, stało się oczywiste, że jeśli nie chcemy wrócić do Londynu znacznie później, niż zamierzaliśmy, wszelkie inne wizyty musimy odłożyć na następny raz.

Kiedy pożegnaliśmy się i ruszyliśmy z powrotem, nie wiedziałem, jak czuje się po tym wszystkim Bernard – który rzadko się odzywał, od kiedy przyjechaliśmy do wioski, i nie wyjawiał, co o tym myśli – ale ja z ulgą wracałem do normalnego świata. Panująca w Midwich atmosfera wydawała się lekko nierealna. Miałem wrażenie, że oglądam spektakl, którego kilka scen przegapiłem. Gdy ja znów z trudem oswajałem się z istnieniem Dzieci oraz ich niezwykłymi zdolnościami, Zellaby i jego żona już dawno się z tym uporali. Dla nich niewiarygodne stało się czymś drugorzędnym. Zaakceptowali istnienie Dzieci oraz to, że na dobre czy złe, mają je na głowie; teraz obawiali się, że wypracowany społeczny *modus vivendi* może się załamać. Wyczuwalne na sali sądowej napięcie wywołało niepokój, który mnie nie opuszczał.

Myślę, że Bernard także go odczuwał. Wydawało mi się, że ostrożniej niż zwykle jedzie przez wieś i mija miejsce wypadku drogowego młodego Pawle'a. Trochę przyspieszył, kiedy skręciliśmy w Oppley Road, a wtedy zauważyliśmy cztery zbliżające się postacie. Nawet z daleka można było rozpoznać, że to czworo Dzieci. Pod wpływem nagłego impulsu powiedziałem:

– Możesz się zatrzymać, Bernardzie? Chciałbym im się lepiej przyjrzeć.

Znów zwolnił i zatrzymaliśmy się prawie przy wylocie Hickham Lane.

Dzieci zbliżały się do nas. Ubrania, które miały na sobie, wyglądały jak sorty mundurowe: chłopcy mieli na sobie niebieskie flanelowe koszule i szare spodnie, a dziewczynki krótkie plisowane spódniczki i jasnożółte koszule. Wcześniej zobaczyłem dwoje z nich przed ratuszem, ale wtedy tylko przez moment widziałem ich twarze, a potem ich plecy.

Kiedy się zbliżyły, odkryłem, że łączące ich podobieństwo jest większe, niż się spodziewałem. Wszyscy czworo mieli taką samą śniadą cerę. Ta dziwna przezroczystość skóry, zauważalna w niemowlęctwie, została w znacznym stopniu zamaskowana przez opaleniznę, lecz wciąż przyciągała uwagę. Mieli takie same ciemnozłociste włosy, proste i wąskie nosy oraz stosunkowo małe usta. Szeroko rozstawione oczy były chyba główną cechą nadającą im cudzoziemski wygląd, ale w sposób niekojarzący się z żadną konkretną rasą czy rejonem świata. Nie dostrzegłem niczego, co odróżniałoby jednego chłopca od drugiego, a nawet wątpiłem, czy potrafiłbym odróżnić chłopięce twarze od dziewczęcych, gdyby nie ich fryzury.

Wkrótce widziałem już ich oczy. Zapomniałem, jak niezwykłe były w ich niemowlęctwie; zapamiętałem je jako piwne. Jednak to mało powiedziane: były świetliste i złote. Istotnie dziwne, lecz pomijając to, niezwykle piękne. Wyglądały jak żywe, półszlachetne kamienie.

Przyglądałem im się zafascynowany, gdy zrównały się z nami. Nie zwróciły na nas uwagi, obrzucając samochód przelotnymi i obojętnymi spojrzeniami, po czym skręciły w Hickham Lane.

Stwierdziłem, że ich wygląd budzi niepokój, chociaż nie byłem w stanie powiedzieć dlaczego, ale teraz już mnie tak nie dziwiło to, że wiele rodzin bez oporu zgodziło się, żeby opuściły domy i zamieszkały w The Grange.

Patrzyliśmy przez chwilę, jak szły alejką, po czym Bernard przekręcił kluczyk w stacyjce.

Obaj drgnęliśmy, gdy w pobliżu huknął wystrzał. Gwałtownie obróciłem głowę i zobaczyłem, jak jeden z chłopców zgina się i pada twarzą na jezdnię. Troje pozostałych Dzieci stało jak skamieniałe...

Bernard otworzył drzwiczki samochodu i zaczął wysiadać. Chłopak, który stał na nogach, odwrócił się i spojrzał na nas. Jego złociste oczy były zimne i jasne. Nagle poczułem się dziwnie oszołomiony i słaby... Potem chłopak oderwał od nas oczy i obrócił głowę.

Za żywopłotem naprzeciwko rozległ się drugi wystrzał, trochę cichszy od pierwszego, a potem usłyszeliśmy krzyk w oddali...

Bernard wysiadł z samochodu, a ja poszedłem w jego ślady. Jedna z dziewczyn klęczała przy leżącym chłopcu. Gdy spróbowała go dotknąć, jęknął i skręcił się z bólu. Stojący nad nim chłopak miał zrozpaczoną minę. On też jęczał, jakby w agonii. Obie dziewczyny zaczęły płakać.

Wtem zza drzew skrywających The Grange dobiegło upiorne wycie, niczym spotęgowane echo ich jęków, oraz żałobny chór zawodzących młodych głosów...

Bernard się zatrzymał. Przeszedł mnie dreszcz i zjeżyły mi się włosy na głowie.

Znów usłyszeliśmy ten dźwięk: chóralny lament i przedzierający się przezeń rozpaczliwy krzyk... Potem tupot nóg nadbiegających alejką...

Znieruchomieliśmy obaj. Nie wiem, co czuł Bernard, ale mnie w tym momencie sparaliżował strach.

Staliśmy tam i patrzyliśmy, jak kilku chłopców, niepokojąco podobnych do siebie, przybiegło i podniosło leżącego. Dopiero kiedy zaczęli się z nim oddalać, uświadomiłem sobie, że zza żywopłotu po lewej stronie alejki dobiega zupełnie inny szloch.

Wspiąłem się na skarpę pobocza i zajrzałem za żywopłot. Kilka jardów dalej w trawie klęczała dziewczyna w letniej sukience. Schowała twarz w dłoniach, a jej ciałem wstrząsało łkanie.

Bernard dołączył do mnie i razem przedarliśmy się przez żywopłot. Stanąwszy na polu, ujrzałem leżącego przed dziewczyną mężczyznę i kolbę strzelby wystającą spod jego ciała.

Gdy podeszliśmy bliżej, usłyszała nas. Natychmiast przestała szlochać i spojrzała na nas z przerażeniem. Gdy nas rozpoznała, przestała się bać i znów zaczęła płakać.

Bernard podszedł do niej i pomógł jej wstać. Spojrzałem na zwłoki. Był to naprawdę paskudny widok. Pochyliłem się i podciągnąłem połę marynarki zabitego, usiłując zakryć to, co zostało z jego głowy. Bernard odprowadził dziewczynę na bok.

Na drodze rozległy się głosy. Gdy podeszliśmy do żywopłotu, stojący u dołu skarpy dwaj mężczyźni zobaczyli nas.

— To wy strzelaliście? — spytał jeden z nich.

Przecząco pokręciliśmy głowami.

– Tu leży zabity człowiek – rzekł Bernard.

Dziewczyna zadrżała i jęknęła.

– Kto to? – zapytał ten sam mężczyzna.

– To David! – krzyknęła histerycznie dziewczyna. – Zabiły go. Zabiły Jima, a teraz Davida.

I znów zaniosła się szlochem.

Jeden z mężczyzn wspiął się na skarpę.

– Ach, to ty, Elsa! – wykrzyknął.

– Próbowałam go powstrzymać, Joe. Próbowałam go powstrzymać, ale nie słuchał – wykrztusiła przez łzy. – Wiedziałam, że go zabiją, ale nie słuchał...

Nie była w stanie powiedzieć nic więcej i przywarła do Bernarda, dygocząc.

– Musimy ją stąd zabrać – powiedziałem. – Czy wiecie, gdzie mieszka?

– Tak – odrzekł mężczyzna i zdecydowanie wziął ją na ręce, jakby była dzieckiem. Zszedł po skarpie i zaniósł płaczącą i roztrzęsioną dziewczynę do samochodu. Bernard zwrócił się do drugiego mężczyzny:

– Zostanie pan tu i będzie trzymał wszystkich z daleka do przybycia policji?

– Taa. To pewnie młody David Pawle? – spytał mężczyzna, wchodząc po skarpie.

– Powiedziała, że to David. Młody człowiek – powiedział mu Bernard.

– To na pewno on... dranie. – Mężczyzna przecisnął się przez żywopłot. – Lepiej wezwij pan gliniarzy z Trayne, szefie. Mają samochód. – Spojrzał w kierunku zwłok. – Przeklęte bękarty! – warknął.

* * *

Wysadzili mnie przy Kyle Manor i skorzystałem z telefonu Zellaby'ego, żeby wezwać policję. Gdy odłożyłem słuchawkę, zobaczyłem go stojącego obok ze szklaneczką w dłoni.

– Zapewne to dobrze panu zrobi – rzekł.

– Na pewno – potwierdziłem. – To było zupełnie nieoczekiwane. I okropne.

– Jak się to stało? – spytał.

Opisałem mu tę niewielką część zdarzenia, w której wzięliśmy udział. Dwadzieścia minut później wrócił Bernard i powiedział więcej.

– Bracia Pawle najwyraźniej byli bardzo zżyci – zaczął. Zellaby przytaknął skinieniem głowy. – No cóż, wygląda na to, że młodszy, David, uznał orzeczenie sądu za ostatnią kroplę przepełniającą czarę goryczy i postanowił sam wymierzyć sprawiedliwą karę zabójcom brata. Elsa – jego dziewczyna – przyszła na farmę Dacre w chwili, gdy wychodził. Kiedy zobaczyła, że chłopak ma broń, domyśliła się, co zamierza i próbowała go powstrzymać. Nie chciał jej słuchać i zamknął ją w szopie, a potem poszedł. Dopiero po paru chwilach zdołała się wydostać, ale odgadła, że chłopak pójdzie do The Grange, i pobiegła na przełaj przez pola. Gdy dotarła do tego miejsca przy drodze, w pierwszej chwili nie zauważyła go i pomyślała, że się pomyliła. Zapewne leżał ukryty na ziemi. Tak czy inaczej, nie widziała go dopóki nie wystrzelił. A wtedy stał z bronią skierowaną na drogę. Biegła do niego, gdy nagle obrócił strzelbę w rękach i kciukiem nacisnął spust…

Zellaby milczał długą chwilę, po czym rzekł:

– Z punktu widzenia policji wszystko będzie oczywiste. David uważał, że Dzieci spowodowały śmierć jego brata, więc z zemsty zabił jedno z nich, a potem popełnił samobójstwo, żeby uniknąć kary. Najwyraźniej był niezrównoważony. Co innego może pomyśleć „rozsądny" człowiek?

— Może przedtem traktowałem to trochę sceptycznie — przyznałem — ale teraz już nie. Jak ten chłopak na nas patrzył! Sądzę, że przez moment myślał, że zrobił to któryś z nas dwóch — dopóki nie uświadomił sobie, że to nie my strzelaliśmy. Trudno opisać to uczucie, ale było przerażające. Czy ty też to poczułeś, Bernardzie? — zapytałem.

Skinął głową.

— Dziwna, obezwładniająca słabość — przyznał. — Poczucie beznadziei.

— To po prostu… — Urwałem, gdyż nagle coś sobie przypomniałem. — Mój Boże, przy tym wszystkim nic nie powiedziałem policji o tym rannym chłopcu. Może powinniśmy wezwać karetkę do The Grange?

Zellaby przecząco pokręcił głową.

— Ośrodek ma własnego lekarza — rzekł.

Zastanawiał się chwilę, po czym westchnął i potrząsnął głową.

— Nie podoba mi się to wszystko, pułkowniku. Bardzo mi się nie podoba. Czy uważa pan, że się mylę, twierdząc, że właśnie w taki sposób wybuchają krwawe waśnie?

ROZDZIAŁ 17

Midwich protestuje

Kolacja w Kyle Manor się opóźniła, ponieważ Bernard i ja musieliśmy złożyć zeznania na policji i zanim skończyliśmy, nie mogłem się jej już doczekać. Byłem także wdzięczny Zellabym, że zaoferowali nam nocleg. Po dzisiejszej strzelaninie Bernard zmienił zdanie w kwestii powrotu do Londynu; postanowił zostać, jeśli nie w samym Midwich, to nie dalej jak w Trayne, pozwalając mi zdecydować, czy dotrzymam mu towarzystwa, czy wybiorę powolną podróż koleją. Co więcej, odniosłem wrażenie, że moje wcześniejsze sceptyczne nastawienie do teorii Zellaby'ego graniczyło z nieuprzejmością, więc z zadowoleniem przyjąłem szansę wynagrodzenia mu tego.

Trochę zawstydzony sączyłem sherry.

Zaprzeczając lub podając w wątpliwość odmienność Dzieci oraz ich zdolności, nie sprawisz, że znikną – mówiłem sobie. – A ponieważ istnieją, musi być jakieś wytłumaczenie tego faktu. Nie wyjaśnia tego żadna z akceptowanych przez ciebie teorii naukowych. Tak więc, choć może niechętnie, musisz przyjąć wyjaśnienie niezgodne z tym, co dotychczas uważałeś za niepodważalne. Co nieuchronnie spowoduje, że dojdą do głosu twoje uprzedzenia. Pamiętaj o tym i zwalcz je, kiedy się pojawią.

Jednak przy kolacji nie musiałem z nimi walczyć. Państwo Zellaby, niewątpliwie uważając, że na razie mieliśmy już dość nieprzyjemnych przeżyć, starali się prowadzić rozmowę na tematy niezwiązane z Midwich i jego kłopotami. Bernard nadal był trochę nieobecny duchem, ale ja doceniałem ich wysiłki i na zakończenie kolacji z nieco większym zrozumieniem, niż początkowo, słuchałem wywodów Zellaby'ego o ewolucji formy i stylu oraz pozytywnym wpływie okresów społecznego konserwatyzmu, ograniczającego wywrotowe skłonności młodego pokolenia.

Jednak wkrótce po tym, jak przeszliśmy do salonu, szczególne problemy Midwich znów do nas powróciły za sprawą pastora Leebody'ego. Wielebny Hubert był bardzo zatroskany i pomyślałem, że wygląda znacznie starzej niż na swoje osiemdziesiąt lat.

Angela Zellaby postawiła na stole kolejną filiżankę i nalała mu kawy. Pijąc ją, dzielnie, choć nieudolnie, próbował prowadzić zdawkową rozmowę, lecz opróżnioną filiżankę odstawił z miną, która świadczyła, że nie może się już dłużej powstrzymywać.

– Coś – oznajmił nam wszystkim – coś trzeba będzie zrobić.

Zellaby przez chwilę spoglądał na niego w zadumie.

– Mój drogi pastorze – przypomniał mu delikatnie – wszyscy mówimy to od lat.

– Mówię, że trzeba coś zrobić naprawdę szybko i zdecydowanie. Robiliśmy, co mogliśmy, żeby znaleźć miejsce dla Dzieci, zachować pewnego rodzaju równowagę – a zważywszy wszystko, sądzę, że udało nam się to całkiem nieźle – ale przez cały ten czas było to prowizoryczne, tymczasowe, empiryczne rozwiązanie, i tak dłużej być nie może. Musimy mieć zbiór norm obejmujący Dzieci, jakieś przepisy prawne, którym by podlegały, tak jak my wszyscy. Jeśli prawo nie gwarantuje wymierzania sprawiedliwości, ludzie nim gardzą i uważają, że jedyną formą ochrony i zadośćuczynienia jest wendeta. Tak właśnie się stało dziś po południu i nawet jeśli opanujemy ten kryzys, unikając poważnych kłopotów, niedługo będziemy mieli następny. Wykorzystywanie przez władze ram prawnych do wydawania orzeczeń powszechnie uważanych za kłamliwe nie ma żadnego sensu. Dzisiejsza rozprawa była farsą i nikt w wiosce nie wątpi, że następna, dotycząca śmierci młodszego z braci Pawle, też nią będzie. Należy natychmiast podjąć kroki zmierzające do podporządkowania Dzieci prawu, zanim dojdzie do czegoś jeszcze gorszego.

— Jak pan pamięta, przewidywaliśmy tego rodzaju kłopoty — przypomniał Zellaby. — Nawet wysłaliśmy na ten temat notę do obecnego tu pułkownika. Muszę przyznać, że nie przewidzieliśmy tak poważnych problemów, jakie wystąpiły, ale wskazaliśmy potrzebę podjęcia działań gwarantujących podporządkowanie Dzieci przyjętym normom społecznym i prawom. A co się stało? Pan, pułkowniku, przekazał te uwagi zwierzchnikom i w końcu otrzymaliśmy pismo z odpowiedzią, w którym zapewniono nas, że ministerstwo docenia nasze zaangażowanie, ale ma całkowite zaufanie do psychologów, którym zlecono kształcenie i wychowanie Dzieci. Innymi słowy nie mają pojęcia, w jaki sposób mogliby je kontrolować, i mieli jedynie nadzieję, że przy odpowiednim szkoleniu nie dojdzie do żadnych kryzysowych sytuacji. Muszę przyznać, że współczuję ministerstwu, ponieważ nadal nie wiem, w jaki sposób można by zmusić Dzieci do przestrzegania jakichkolwiek nakazów, jeśli nie zechcą ich słuchać.

Pan Leebody z bezradną miną splótł palce.

– Coś jednak trzeba zrobić – powtórzył. – Wystarczył wypadek takiego rodzaju, jaki zdarzył się dziś, żeby wywołać kryzys, i obawiam się, że lada chwila sytuacja wymknie się spod kontroli. W sposób nieprzemyślany, raczej spontaniczny. Niemal wszyscy mężczyźni z wioski są dziś wieczorem w The Scythe and Stone. Nikt nie zwoływał zebrania; po prostu się tam zgromadzili, a większość kobiet plotkuje szeptem w grupkach. To jest – a raczej może być – idealny pretekst, jakiego ludzie zawsze potrzebowali.

– Pretekst? – wtrąciłem. – Nie widzę powodu…?

– Kukułcze jaja – wyjaśnił Zellaby. – Chyba nie sądzi pan, że tutejsi ludzie naprawdę polubili Dzieci? Robili dobrą minę do złej gry, głównie dla swoich żon. Ze względu na urazę, jaką muszą nieświadomie żywić, jest to godne uznania – może trochę pomniejszonego przez takie zdarzenia jak to z Harrimanem, po których bali się tknąć dzieci. Kobiety – a przynajmniej większość z nich – reagują inaczej. Doskonale wiedzą, że nie są to ich biologiczne dzieci, ale znosiły niedogodności i bóle związane z ciążą – a to, nawet jeśli głęboko oburza niektóre z nich, wytworzyło więź, której nie mogą tak po prostu zerwać i zignorować. Są też takie, które… no cóż, weźmy na przykład pannę Ogle. Nawet gdyby Dzieci miały rogi, ogony i kopyta, panna Ogle, panna Lamb i kilka innych wciąż miałyby na ich punkcie bzika. Ze strony mężczyzn jednak można w najlepszym razie oczekiwać tolerancji.

– To bardzo trudna sytuacja – dodał pan Leebody. – Całkowicie zaburza normalne więzy rodzinne. Chyba nie ma mężczyzny, którego nie oburzałoby istnienie tych Dzieci. Próbujemy złagodzić konsekwencje tego faktu, ale tylko to zdołaliśmy zrobić. Skrywana uraza wciąż się tli…

– I sądzi pan, że śmierć młodych Pawle'ów wywoła pożar? – zapytał Bernard.

— Możliwe. Jeśli nie to, znajdzie się inny powód — odparł złowieszczo pan Leebody. — Gdyby tylko dało się coś zrobić, zanim będzie za późno.

— Nie da się, mój drogi — rzekł stanowczo Zellaby. — Mówiłem to już wcześniej i po tym wszystkim musi mi pan uwierzyć. Dokonał pan cudów, łagodząc i pocieszając, lecz ani pan, ani nikt z nas nie zdoła zasadniczo niczego zmienić, ponieważ inicjatywa nie należy do nas, ale do samych Dzieci. Zakładam, że znam je lepiej niż inni. Uczyłem je i robiłem co w mojej mocy, żeby dobrze je poznać, ale to mi się nie udało — tak samo jak pracownikom The Grange, aczkolwiek oni ukrywają to za zasłoną pompatycznych frazesów. Nie możemy przewidzieć zachowania Dzieci, ponieważ poza ogólnikami nie znamy dobrze ich potrzeb ani sposobu myślenia. Nawiasem mówiąc, co się stało z tym chłopcem, który został postrzelony? Jego stan może mieć wpływ na rozwój sytuacji.

— Jego towarzysze nie pozwolili go zabrać do szpitala. Odesłali karetkę. W ośrodku opiekuje się nim doktor Anderby. Uważa, że chłopiec wydobrzeje, ale trzeba mu wyjąć sporo śrucin — odparł pastor.

— Mam nadzieję, że się nie myli. Bo jeśli nie, to będziemy tu mieli krwawą waśń — rzekł Zellaby.

— Mam wrażenie, że już ją mamy — rzekł z przygnębieniem pan Leebody.

— Jeszcze nie — zaprzeczył Zellaby. — Waśń to konflikt dwóch stron. Dotychczas agresywni byli mieszkańcy wioski.

— Chyba nie zaprzecza pan, że to Dzieci zamordowały obu Pawle'ów?

— Nie, ale to nie było działanie agresywne. Miałem trochę do czynienia z Dziećmi. W pierwszym wypadku zareagowały instynktownie na zranienie jednego z nich; w drugim również była to reakcja obronna — nie zapominajmy, że w drugiej lufie dubeltówki była kula, która mogła trafić kogoś z nich. Przyznaję, że w obu wypadkach zareagowały zbyt drastycznie, ale raczej z zamiarem zabójstwa, a nie morderstwa. W obu wypadkach zostały sprowokowane. Faktycznie próbę morderstwa z premedytacją podjął David Pawle.

– Jeśli ktoś cię potrąci, jadąc samochodem, a ty go za to zabijesz – rzekł pastor – moim zdaniem jest to morderstwo i ewidentna prowokacja. Dla Davida Pawle'a to była prowokacja. Oczekiwał, że sąd wymierzy sprawiedliwą karę, a gdy prawo go zawiodło, wziął sprawy w swoje ręce. Czy można to uznać za próbę morderstwa z premedytacją? Czy próbę wymierzenia sprawiedliwości?

– Pewne jest tylko to, że nie byłaby to sprawiedliwość – orzekł stanowczo Zellaby – ale zemsta. Usiłował zabić jedno z Dzieci, wybrane przypadkowo, za coś, co zrobiły zbiorowo. Czego naprawdę dowodzą te zdarzenia, mój drogi, to tego, że prawa ustanowione przez jeden gatunek dla własnej wygody są z natury rzeczy odpowiednie tylko dla niego samego i nie mogą być narzucane innemu, o innych cechach.

Pastor z przygnębieniem pokręcił głową.

– Nie wiem, Zellaby... Po prostu nie wiem... Jestem w kropce. Nawet nie jestem pewny, czy zabójstwo Dziecka można uznać za morderstwo.

Zellaby uniósł brwi.

– I Bóg – przypomniał pan Leebody – stworzył człowieka na swój obraz i podobieństwo. Bardzo dobrze, zatem kimże są te Dzieci? W tym odwzorowaniu nie chodzi tylko o powierzchowność, inaczej każdy posąg byłby człowiekiem. Mowa o wewnętrznym podobieństwie, ducha i duszy. Jednak powiedział pan, i w świetle tych dowodów zaczynam w to wierzyć, że Dzieci nie mają indywidualnych dusz, tylko jednego wspólnego ducha mają chłopcy, a drugiego dziewczynki – oba potężniejsze, niż jesteśmy w stanie pojąć. Kim więc są? Nie można ich uznać za ludzi, ponieważ tak naprawdę nie są do nas podobni. Wyglądają jak ludzie, ale nimi nie są. A ponieważ należą do innego gatunku, a morderstwo z definicji jest zabójstwem człowieka przez człowieka, to czy uśmiercenie jakiegoś Dziecka jest naprawdę morderstwem? Może się wydawać, że nie. A stąd można pójść dalej. Bo skoro nie obejmuje ich definicja morderstwa, to jak mamy je traktować? Obecnie przyznajemy im wszystkie przywileje gatunku *Homo sapiens*. Czy mamy prawo to robić? Skoro są obcym gatunkiem, czy nie jesteśmy w pełni uprawnieni – a może nawet zobligowani – walczyć z nimi, aby chronić nasz? W końcu mielibyśmy taki obowiązek, gdybyśmy odkryli wśród nas obecność groźnych dzikich zwierząt. Sam nie wiem… Jak już powiedziałem, jestem w kropce…

– Jesteś, drogi panie, naprawdę jesteś – potwierdził Zellaby. – Zaledwie kilka minut temu powiedział mi pan z przekonaniem, że Dzieci zamordowały obu Pawle'ów. Z pańskich późniejszych wypowiedzi wynika, że jeśli one zabijają nas, jest to morderstwo, ale zabijanie ich przez nas to coś innego. Nie można się oprzeć wrażeniu, że każdy prawnik, świecki czy kościelny, uznałby takie rozumowanie za ułomne etycznie. Nie do końca również akceptuję pański wywód dotyczący „podobieństwa". Jeśli pański Bóg jest tylko ziemskim Bogiem, to niewątpliwie ma pan rację – bo chociaż taka koncepcja budzi sprzeciw, nie można już zaprzeczać, że Dzieci w jakiś sposób zostały nam narzucone „z zewnątrz", ponieważ nie ma innej możliwości. Jednak, o ile wiem, pański Bóg jest uniwersalnym Bogiem, wszystkich słońc i planet. Z pewnością więc musi mieć uniwersalną postać? Czy nie byłoby więc próżnością wyobrażać sobie, że może On objawiać się jedynie w postaci mieszkańca tej niezbyt ważnej planety? Nasze podejście do tego problemu nieuchronnie bardzo się różni, ale…

Przerwał, słysząc podniesione głosy w korytarzu na zewnątrz, i pytająco spojrzał na żonę. Zanim jednak oboje zdołali się poruszyć, drzwi otworzyły się gwałtownie i stanęła w nich pani Brant. Zdawkowo przeprosiwszy Zellabych, podeszła do pana Leebody'ego i złapała go za rękaw.

– Och, proszę pana. Musi pan szybko przyjść – powiedziała zasapana.

– Droga pani Brant... – zaczął wielebny.

– Musi pan przyjść – powtórzyła. – Oni wszyscy idą do ośrodka. Zamierzają go spalić. Musi pan przyjść i ich powstrzymać.

Pan Leebody patrzył na nią ze zdumieniem, gdy znów pociągnęła go za rękaw.

– Już ruszają – powiedziała z rozpaczą. – Pan może ich powstrzymać, pastorze. Musi pan to zrobić. Oni chcą spalić Dzieci. Och, szybko! Proszę. Proszę się pospieszyć!

Pan Leebody wstał. Obrócił się ku Angeli Zellaby.

– Przepraszam. Myślę, że będzie lepiej... – zaczął, ale pani Brant przerwała mu te przeprosiny, ciągnąc go za rękaw.

– Czy ktoś zawiadomił policję? – spytał Zellaby.

– Tak... nie. Nie wiem. I tak nie przyjadą na czas. Och, pastorze, proszę się pospieszyć! – ponaglała pani Brant, siłą wyciągając go za drzwi.

Zostaliśmy we czworo, patrząc po sobie ze zdumieniem. Angela szybko przeszła przez pokój i zamknęła drzwi.

– Myślę, że będzie lepiej, jeśli pójdę tam i go wesprę – powiedział Bernard.

– Może zdołamy mu pomóc – zgodził się Zellaby, ruszając, a ja wstałem, żeby do nich dołączyć.

Angela zagrodziła nam drogę, opierając się plecami o drzwi.

– Nie! – powiedziała stanowczo. – Jeśli chcecie zrobić coś pożytecznego, wezwijcie policję.

— Ty możesz to zrobić, moja droga, kiedy my tam pójdziemy i...

— Gordonie – powiedziała groźnie, jakby karciła dziecko. – Zastanów się chwilę. Pułkowniku Westcott, może pan tam bardziej zaszkodzić niż pomóc. Uważają, że reprezentuje pan interesy Dzieci.

Wszyscy trzej patrzyliśmy na nią zaskoczeni i lekko zmieszani.

— Czego się obawiasz, Angelo? – spytał Zellaby.

— Nie wiem. Skąd mogę wiedzieć? Boję się tylko, że mogą zlinczować pułkownika.

— Jednak to może być ważne – zaprotestował Zellaby. – Wiemy, co Dzieci mogą zrobić jednostce, chcę zobaczyć, jak sobie radzą z tłumem. Jeśli zareagują w typowy dla nich sposób, to wystarczy im, że cały tłum zawróci i odejdzie. Ciekawe, czy...

— Nonsens – powiedziała spokojnie Angela, tak stanowczo, że Zellaby zamrugał. – To nie jest ich typowa reakcja i dobrze o tym wiesz. Gdyby była, to po prostu zmusiłyby Jima Pawle'a, żeby zatrzymał samochód, a Davida Pawle'a, żeby wypalił z drugiej lufy w powietrze. Nie zrobiły tego. Nigdy nie zadowalają się odparciem ataku – zawsze kontratakują.

Zellaby znów zamrugał.

— Masz rację, Angelo – rzekł ze zdziwieniem. – Nigdy na to nie wpadłem. Ich reakcja jest zawsze zbyt gwałtowna.

— Właśnie. I w jakikolwiek sposób poradzą sobie z tłumem, nie chcę, żebyś w nim był. Ani pan, pułkowniku – zwróciła się do Bernarda. – Będzie pan potrzebny, żeby wyciągnąć nas z tarapatów, w które pomógł pan nas wpakować. Cieszę się, że pan tu jest – przynajmniej mamy na miejscu kogoś, kogo zechcą wysłuchać.

— Mógłbym obserwować przebieg wydarzeń – z daleka – zaproponował potulnie.

– Jeśli ma pan olej w głowie, będzie się pan trzymał z daleka od kłopotów – odparła bez ogródek Angela. Znów zwróciła się do swego męża: – Gordonie, tracimy czas. Zadzwoń do Trayne i sprawdź, czy ktoś zawiadomił tamtejszą policję, a także poproś, żeby przysłali karetki.

– Karetki! Czy to nie trochę... przedwczesne? – zaprotestował Zellaby.

– Sam mówiłeś o nieprzewidzianych reakcjach Dzieci, ale najwidoczniej nie wziąłeś tego pod uwagę – odparła Angela. – A ja tak. Twierdzę, że trzeba wezwać karetki, i jeśli ty nie chcesz, ja to zrobię.

Zellaby z miną skarconego chłopca podniósł słuchawkę telefonu. A do mnie powiedział:

– Nawet nie wiemy... Chcę powiedzieć, że znamy sprawę tylko z relacji pani Brant...

– Jeśli dobrze pamiętam, to bardzo wiarygodna osoba – zauważyłem.

– To prawda – przyznał. – No cóż, chyba powinienem zaryzykować.

Po zakończeniu rozmowy w zadumie odłożył słuchawkę na widełki i spoglądał na nią przez moment. Potem postanowił przypuścić jeszcze jeden atak.

– Angelo, moja droga, nie sądzisz, że gdybym obserwował z bezpiecznej odległości...? W końcu jestem jedną z osób, którym Dzieci ufają, są moimi przyjaciółmi i...

Jednak Angela stanowczo ucięła tę próbę.

– Gordonie, nie próbuj wmawiać mi takich bzdur. Po prostu jesteś ciekawski. Doskonale wiesz, że Dzieci nie mają żadnych przyjaciół.

ROZDZIAŁ 18

Przesłuchanie

Komendant policji Winshire zajrzał do Kyle Manor następnego ranka, w samą porę na kieliszek madery i herbatnika.

– Przepraszam, że niepokoję pana w związku z tą sprawą, Zellaby. Koszmarna sprawa – po prostu okropna. Nie mogę tego pojąć. Wygląda na to, że wszyscy tutaj potracili głowy. Pomyślałem, że może zdoła pan jakoś mi to wyjaśnić.

Angela wtrąciła się do rozmowy.

– Jaki jest bilans zajść, panie komendancie? Jeszcze nie podano oficjalnych danych.

– Obawiam się, że niedobry. – Pokręcił głową. – Nie żyje jedna kobieta i pięciu mężczyzn. Ośmiu mężczyzn i pięć kobiet jest w szpitalu. Z czego dwóch mężczyzn i jedna kobieta w bardzo ciężkim stanie. Kilka osób, których nie zabrano do szpitala, wygląda tak, jakby tego potrzebowały. Wszystko wskazuje na to, że wybuchły gwałtowne zamieszki – wszyscy walczyli ze wszystkimi. Tylko dlaczego? Właśnie tego nie mogę zrozumieć.

Nikt nie potrafi tego sensownie wyjaśnić. – Znów zwrócił się do Zellaby'ego: – Ponieważ to pan wezwał policję i ostrzegł, że będą kłopoty, pomogłoby nam, gdybyśmy wiedzieli, co pana do tego skłoniło.

– No cóż – zaczął ostrożnie Zellaby – mamy tu szczególną sytuację...

Żona mu przerwała.

– Ostrzegła nas pani Brant, żona kowala – powiedziała i opisała pospieszne wyjście pastora. – Jestem pewna, że pan Leebody będzie mógł powiedzieć panu więcej niż my. Wie pan, on tam był, a my nie.

– Istotnie był tam i jakimś cudem wrócił do domu, ale teraz przebywa w szpitalu w Trayne – powiedział komendant.

– Och, biedny pan Leebody. Czy jest ciężko ranny?

– Niestety nie wiem. Lekarz mówi mi, że przez jakiś czas nie wolno go niepokoić. Wróćmy do tematu. – Ponownie zwrócił się do Zellaby'ego: – Powiedział pan moim ludziom, że tłum maszeruje na The Grange i zamierza go spalić. Skąd pan o tym wiedział?

Zellaby się zdziwił.

– Od pani Brant. Moja żona przed chwilą to panu powiedziała.

– I to wszystko? Nie poszedł pan tam, żeby sprawdzić, co się dzieje?

– Hmm... nie – przyznał Zellaby.

– Chce pan powiedzieć, że na podstawie niepotwierdzonych słów rozhisteryzowanej kobiety wezwał pan siły policyjne i zapowiedział, że będą potrzebne karetki?

– Ja na to nalegałam – powiedziała Angela nieco chłodnym tonem. – I miałam absolutną rację. Jedne i drugie okazały się potrzebne.

– Tylko w oparciu o słowa tej kobiety?

– Znam panią Brant od lat. Jest rozsądną osobą.

Bernard wtrącił się do rozmowy.

– Gdyby pani Zellaby nie przekonała nas, żebyśmy tam nie szli, z pewnością bylibyśmy teraz w szpitalu lub kostnicy.

Komendant przyjrzał się nam.

– Miałem ciężką noc – rzekł w końcu. – Może źle to zrozumiałem. Zdajecie się twierdzić, że ta pani Brant przyszła tutaj i powiedziała, że mieszkańcy wioski – zupełnie zwyczajni i spokojni obywatele Winshire – zamierzają pomaszerować na szkołę pełną dzieci, w dodatku ich własnych dzieci i...

– To nie całkiem tak. Ci mężczyźni rzeczywiście mieli taki zamiar i być może niektóre kobiety także, ale sądzę, że większość kobiet była temu przeciwna – zaprzeczyła Angela.

– No dobrze. Tak więc usłyszeliście, że ci ludzie, zwykli, przyzwoici wieśniacy, zamierzają podpalić szkołę pełną dzieci. Nie kwestionowaliście tego. Natychmiast uwierzyliście w tak niewiarygodną wiadomość. Nie próbowaliście jej sprawdzić ani zobaczyć na własne oczy, co się dzieje. Od razu wezwaliście policję – ponieważ pani Brant jest rozsądną kobietą?

– Tak – odparła lodowato Angela.

– Drogi Johnie – powiedział równie chłodno Zellaby – zdaję sobie sprawę, że miał pan ciężką noc i rozumiem pańskie stanowisko, ale jeśli mamy kontynuować tę rozmowę, to w zupełnie inny sposób.

Komendant lekko poczerwieniał. Spuścił wzrok. W końcu energicznie potarł pięścią czoło i przeprosił, najpierw Angelę, a potem Zellaby'ego. Niemal żałośnie dodał:

– To dlatego, że nie mam żadnego punktu zaczepienia. Godzinami zadawałem pytania i do niczego nie doszedłem. Nie ma żadnego dowodu na to, że ci ludzie zamierzali spalić The Grange; nawet nie spróbowali. Po prostu walczyli ze sobą, mężczyźni oraz kilka kobiet – i to na terenie ośrodka. Dlaczego? To nie było tak, że kobiety usiłowały powstrzymać mężczyzn – raczej wydaje się, że kilku mężczyzn próbowało powstrzymać pozostałych. Wygląda na to, że wszyscy razem ruszyli z pubu na The Grange i początkowo nikt nikogo nie próbował powstrzymać poza pastorem, którego nie posłuchali, chociaż poparło go kilka kobiet. I o co w tym wszystkim chodziło? Najwyraźniej miało to coś wspólnego z dziećmi w tej szkole – ale jaki był powód tych zamieszek? Wszystko to po prostu nie ma sensu. – Potrząsnął głową i zastanawiał się przez chwilę. – Pamiętam, jak mój poprzednik, stary Bodger, mawiał, że coś piekielnie dziwnego dzieje się w Midwich. I na Boga, miał rację. Tylko co to takiego?

– Wydaje mi się, że najlepiej będzie, jeśli skieruję pana po wyjaśnienia do pułkownika Westcotta – oznajmił Zellaby, wskazując Bernarda. I z odrobiną złośliwości dodał: – Jego wydział, z powodów, których nie mogę pojąć od dziewięciu lat, wykazuje nieustanne zainteresowanie Midwich, tak więc zapewne wie o nas więcej niż my sami.

Komendant skupił uwagę na Bernardzie.

– A jaki to wydział, szanowny panie? – zapytał.

Usłyszawszy odpowiedź, wytrzeszczył oczy. Wyglądał jak człowiek, któremu zabrakło sił.

– Czy powiedział pan „wywiad wojskowy"? – spytał beznamiętnie.

– Tak, proszę pana – rzekł Bernard.

Komendant pokręcił głową.

– Poddaję się. – Znów spojrzał na Zellaby'ego z miną człowieka bliskiego załamania. – A teraz jeszcze wywiad wojskowy – mruknął.

Mniej więcej w tym samym czasie, gdy komendant przybył do Kyle Manor, jedno z Dzieci, chłopiec, niespiesznie nadeszło podjazdem przed The Grange. Dwaj policjanci gawędzący przy bramie przerwali rozmowę. Jeden z nich odwrócił się i wyszedł chłopcu na spotkanie.

– A dokąd to się wybierasz, synu? – zapytał dość przyjaźnie.

Chłopak spojrzał na policjanta beznamiętnie, lecz jego złociste oczy były czujne.

– Do wioski – odpowiedział.

– Lepiej tam nie idź – poradził policjant. – Nie są tam do was zbyt przyjaźnie nastawieni, nie po ostatniej nocy.

Jednak chłopak nie odpowiedział i nie przerwał marszu. Po prostu poszedł dalej. Policjant odwrócił się i wrócił do bramy. Jego kolega spojrzał na niego z zaciekawieniem.

– A niech mnie – rzekł. – Niezbyt ci się to udało, no nie? Myślałem, że mamy ich powstrzymywać przed pakowaniem się w tarapaty.

Pierwszy policjant ze zdziwioną miną spoglądał na oddalającego się chłopaka. Potrząsnął głową.

– To dziwne – mruknął stropiony. – Nie rozumiem. Jeśli znów któreś tu podejdzie, ty spróbuj go powstrzymać, Bert.

Po paru minutach pojawiła się jedna z dziewczyn. Szła równie swobodnie jak tamten chłopak.

– No dobrze – powiedział drugi policjant. – Udzielę jej ojcowskiej rady.

Ruszył w kierunku dziewczyny.

Po kilku krokach odwrócił się i wrócił do kolegi. Obaj stali ramię w ramię i patrzyli, jak ich mija, po czym odchodzi podjazdem. Nawet na nich nie spojrzała.

– Co, do diabła? – spytał ze zdumieniem drugi policjant.

– To trochę dziwne, co nie? – rzekł jego kolega. – Zamierzasz coś zrobić, a potem robisz coś zupełnie innego. Niezbyt mi się to podoba. – Hej! – zawołał za dziewczyną. – Hej, panienko!

Dziewczyna nie obejrzała się. Ruszył za nią, przeszedł kilka kroków, a potem stanął jak wryty. Dziewczyna znikła im z oczu za zakrętem drogi. Policjant zatrzymał się, odwrócił i dołączył do kolegi. Ciężko dyszał i miał strapioną minę.

– Zdecydowanie mi się to nie podoba – powiedział z przygnębieniem. – Dzieje się tu coś dziwnego…

Autobus z Oppley, który jechał do Trayne przez Stouch, zatrzymał się w Midwich, naprzeciw sklepu pani Welt. Dziesięć lub więcej czekających na niego kobiet przepuściło dwóch wysiadających pasażerów, a potem ruszyło naprzód nierównym rzędem. Idąca na przedzie panna Latterly chwyciła poręcz i próbowała wsiąść. Nie zdołała. Nogi jakby wrosły jej w ziemię.

– Proszę się pospieszyć! – ponaglił konduktor.

Panna Latterly spróbowała ponownie, lecz bez powodzenia. Bezradnie spojrzała na konduktora.

– Proszę się odsunąć i przepuścić pozostałe osoby. Zaraz pani pomogę – powiedział.

Zaskoczona panna Latterly usłuchała tej rady. Pani Dorry zajęła jej miejsce i chwyciła poręcz. Ona również nie zdołała wsiąść. Konduktor spróbował wziąć ją za rękę i pomóc jej wejść, ale nie mogła podnieść nogi i postawić jej na stopniu. Stanęła obok panny Latterly i obie obserwowały równie bezowocną próbę następnej osoby w kolejce.

– Co to ma być? Jakiś żart? – spytał konduktor. Potem zauważył miny tych trzech kobiet. – Przepraszam, moje panie. Bez urazy. W czym problem?

Panna Latterly oderwała wzrok od daremnych wysiłków czwartej kobiety i zauważyła jedno z Dzieci. Chłopak siedział na znajdującym się naprzeciw pubu The Scythe and Stone murku ułatwiającym wsiadanie na konia i leniwie kołysał nogą.

Odłączyła się od grupki stojącej przy autobusie i ruszyła ku niemu. Podchodząc, uważnie mu się przyglądała. Mimo to odrobinę niepewnie zapytała:

– Ty nie jesteś Joseph, prawda?

Chłopak przecząco pokręcił głową.

– Chcę pojechać do Trayne i odwiedzić pannę Foresham, matkę Josepha. Tej nocy została ranna. Jest w tamtejszym szpitalu.

Chłopak wciąż na nią patrzył. Nieznacznie pokręcił głową. Łzy gniewu stanęły w oczach panny Latterly.

– Czy nie dość złego już zrobiliście? Jesteście potworami. Chcemy tylko pojechać odwiedzić naszych przyjaciół, którzy zostali ranni – z waszej winy.

Chłopak nic nie powiedział. Panna Latterly impulsywnie zrobiła krok naprzód, ale się zatrzymała.

– Nie rozumiesz? Nie masz żadnych ludzkich uczuć? – spytała drżącym głosem.

Za jej plecami trochę zaskoczony i lekko rozbawiony konduktor mówił:

– Proszę wsiadać, moje panie. Zdecydujcie się. Ten stary autobus nie gryzie. Nie możemy tu czekać cały dzień.

Kobiety stały niezdecydowanie, niektóre przestraszone. Pani Dorry jeszcze raz spróbowała wsiąść do autobusu. Bezskutecznie. Dwie kobiety obróciły głowy i gniewnie popatrzyły na chłopaka, który odpowiedział im niewzruszonym spojrzeniem.

Panna Latterly bezradnie odwróciła się i odeszła. Konduktor stracił cierpliwość.

– Cóż, jeśli nie wsiadacie, to odjeżdżamy. Jak wiecie, musimy trzymać się rozkładu.

Żadna z kobiet się nie ruszyła. Zdecydowanie nacisnął przycisk dzwonka i autobus ruszył. Konduktor patrzył na malejące w oddali markotne postacie i kręcił głową. Przechodząc na przód autobusu, żeby wymienić uwagi z kierowcą, wymamrotał pod nosem lokalne powiedzenie:

– W Oppley nie brak cwaniaków, a w Stouch lizusów, ale w Midwich roi się od wariatów.

Polly Rushton, nieoceniona prawa ręka jej wuja na plebanii, pomost między pozostającymi w separacji małżonkami, wiozła panią Leebody do Trayne na spotkanie z mężem. Według telefonicznej informacji ze szpitala obrażenia, jakie odniósł podczas zamieszek, były dotkliwe, choć niegroźne, złamanie kości promieniowej lewego przedramienia i prawego obojczyka oraz liczne stłuczenia, ale potrzebował odpoczynku i spokoju. Ucieszyłby się z odwiedzin, ponieważ zleciłby Polly załatwienie kilku spraw podczas jego nieobecności.

Jednak dwieście metrów za Midwich Polly gwałtownie zahamowała i zaczęła zawracać.

– Czego zapomniałyśmy? – spytała zaskoczona pani Leebody.

– Niczego – odparła Polly. – Po prostu nie mogę jechać dalej i tyle.

– Nie możesz?

– Nie mogę – potwierdziła Polly.

– No nie – powiedziała pani Leebody. – Sądziłam, że w takiej sytuacji...

– Ciociu Doro, powiedziałam, że nie mogę, a nie, że nie chcę.

– Nie rozumiem, o czym ty mówisz – powiedziała pani Leebody.

– No dobrze – mruknęła Polly. Przejechała kilka jardów, a potem znów zawróciła i ustawiła samochód tyłem do Midwich. – Teraz zamień się ze mną miejscami i sama spróbuj – powiedziała ciotce.

Pani Leebody niechętnie usiadła za kierownicą. Nie lubiła prowadzić, ale podjęła wyzwanie. Znowu ruszyły naprzód i pani Leebody zahamowała dokładnie w tym samym miejscu, co Polly. Za nimi rozległ się dźwięk klaksonu i minęła je furgonetka dostawcza z Trayne. Patrzyły, jak znika za zakrętem. Pani Leebody spróbowała przydepnąć pedał gazu, ale jej stopa zawisła w powietrzu. Spróbowała ponownie. Nadal nie zdołała.

Polly rozejrzała się i dostrzegła jedno z Dzieci schowane w żywopłocie i obserwujące je. Uważnie przyjrzała się dziewczynie, żeby ją rozpoznać.

– Judy – powiedziała, tknięta złym przeczuciem. – Czy to twoja sprawka?

Dziewczyna ledwie dostrzegalnie skinęła głową.

– Nie powinnaś – zaprotestowała Polly. – Chcemy pojechać do Trayne, zobaczyć wuja Huberta. Został ranny. Jest w szpitalu.

– Nie możecie jechać – powiedziała dziewczyna lekko przepraszającym tonem.

– Ależ, Judy! Pastor musi omówić ze mną wiele spraw do załatwienia pod jego nieobecność.

Dziewczyna tylko powoli pokręciła głową. Polly zaczęła się irytować. Nabrała tchu, żeby coś powiedzieć, ale pani Leebody wtrąciła nerwowo:

– Nie denerwuj jej, Polly. Czy ostatnia noc nie była wystarczającą nauczką dla nas wszystkich?

Jej uwaga była celna. Polly nie powiedziała nic więcej. Siedziała gniewnie, patrząc na siedzące w żywopłocie Dziecko, i łzy oburzenia stanęły jej w oczach.

Pani Leebody zdołała znaleźć wsteczny bieg i przesunęła dźwignię. Ostrożnie wyciągnęła prawą nogę i odkryła, że teraz już bez trudu dosięga pedału gazu. Cofnęła samochód i znów zamieniły się miejscami. Polly w milczeniu pojechała z powrotem na plebanię.

W Kyle Manor komendant wciąż był nieusatysfakcjonowany.

– Mimo to – protestował, marszcząc brwi – nasze informacje potwierdzają pańskie oświadczenie, że wieśniacy pomaszerowali na The Grange, żeby spalić ośrodek.

– Tak było – przyznał Zellaby.

– Ale powiedział pan też, a pułkownik Westcott to potwierdził, że rzeczywistymi sprawcami były dzieci z The Grange, które sprowokowały to zajście.

– To prawda – przytaknął Bernard. – Obawiam się jednak, że nic z tym nie możemy zrobić.

– Z powodu braku dowodów? No cóż, znajdowanie dowodów to nasza praca.

– Nie mówię o braku dowodów. Mam na myśli brak odpowiedniego paragrafu.

– Proszę posłuchać – rzekł komendant, siląc się na cierpliwość. – Cztery osoby zostały zabite – powtarzam, zabite – trzynaście jest w szpitalu, a wiele innych zostało mocno poturbowane. To nie jest coś, co możemy skwitować wyrazami ubolewania i na tym poprzestać. Musimy to wyjaśnić, ustalić, kto jest za to odpowiedzialny, i postawić zarzuty. Z pewnością to rozumiecie.

– Te Dzieci są bardzo niezwykłe… – zaczął Bernard.

– Wiem. Wiem. Urodziło się tu wiele dzieci z nieprawego łoża. Stary Bodger powiedział mi o tym, kiedy zająłem jego miejsce. Na dodatek nie są całkiem normalne – stąd potrzeba utworzenia szkoły specjalnej i tym podobne rzeczy.

Bernard stłumił westchnienie.

– Komendancie, one nie są opóźnione w rozwoju. Tę szkołę specjalną utworzono, ponieważ te Dzieci są inne. Są moralnie odpowiedzialne za zamieszki ostatniej nocy, ale to wcale nie oznacza, że poniosą za to odpowiedzialność prawną. Nie może ich pan o nic oskarżyć.

– Nieletnim można postawić zarzuty – albo ich prawnym opiekunom. Nie powie mi pan, że banda dziewięcioletnich dzieciaków w jakiś sposób – i niech mnie diabli, jeśli wiem w jaki – może wywołać zamieszki, w których giną ludzie, a potem uniknąć kary! To czysta fantastyka!

– Już kilkakrotnie podkreślałem, że te Dzieci są inne. Ich wiek nie ma znaczenia – z wyjątkiem tego, że istotnie są dziećmi, co może oznaczać, że ich czyny są okrutniejsze od zamiarów. Prawo nie może ich dosięgnąć – a mój wydział nie chce upubliczniać ich istnienia.

– To śmieszne – odparł komendant. – Słyszałem o tych nowoczesnych szkołach. Nie wolno dopuszczać, żeby dzieci były... jak to się nazywa? Sfrustrowane. Samorealizacja, koedukacja, pełnoziarniste pieczywo i tym podobne rzeczy. Cholerne bzdury! W rezultacie są przez to jeszcze bardziej sfrustrowane, niż gdyby traktowano je normalnie. Jeśli jednak niektóre ministerstwa uważają, że skoro taka szkoła jest państwową placówką, to uczęszczające do niej dzieci stoją ponad prawem i mogą... hmm... dopuszczać się ekscesów, to szybko się przekonają, że tak nie jest.

Zellaby i Bernard wymienili bezradne spojrzenia. Bernard postanowił spróbować jeszcze raz.

– Te Dzieci, panie komendancie, mają niezwykłą siłę woli – tak ogromną, że gdy ją wykorzystują, można to uznać za formę przymusu. Prawo dotychczas nie zetknęło się z taką formą agresji, tak więc nie obejmuje tego żaden kodeks karny. A ponieważ formalnie taka forma przymusu nie istnieje, nie można Dzieciom postawić żadnych zarzutów. W rezultacie z punktu widzenia wymiaru sprawiedliwości przypisywane im przestępstwa albo nigdy się nie wydarzyły, albo zostały popełnione przez inne osoby lub siły. W świetle prawa nie ma żadnego powiązania między Dziećmi a tymi przestępstwami.

– Tylko że one jednak je popełniły, a przynajmniej tak wy wszyscy mi mówicie – rzekł komendant.

– Nie złamały żadnego prawa. Co więcej, nawet gdyby znalazł pan jakiś sposób, żeby je oskarżyć, nic by to panu nie dało. Użyłyby wewnętrznego przymusu wobec funkcjonariuszy. Nie zdołalibyście ich aresztować ani utrzymać w areszcie.

– Takie subtelności możemy zostawić prawnikom – to ich praca. Nam potrzebne są tylko dowody uzasadniające nakaz aresztowania – zapewnił go komendant.

Zellaby z wystudiowanym skupieniem spoglądał na sufit. Bernard wyglądał jak człowiek, który liczy w myślach do dziesięciu – i to niezbyt szybko. Ja ratowałem się lekkim napadem kaszlu.

– Ten dyrektor szkoły w The Grange… jak mu tam… Torrance? – ciągnął komendant. – Kieruje tym ośrodkiem. To on jest formalnie odpowiedzialny za te dzieci. Widziałem się z nim wczoraj. Wymijająco odpowiadał na moje pytania. Jak wszyscy tutaj, rzecz jasna. – Mówiąc to, komendant demonstracyjnie nie patrzył rozmówcom w oczy. – Jednak ten facet zdecydowanie nie był pomocny.

– Doktor Torrance to wybitny psychiatra, nie administrator – wyjaśnił Bernard. – Sądzę, że zastanawia się, jakie ma w tej sprawie podjąć działania, i czeka na wytyczne.

– Psychiatra? – powtórzył podejrzliwie komendant. – Wydawało mi się, że mówił pan, że nie jest to ośrodek dla opóźnionych w rozwoju dzieci?

– Bo nie jest – zapewnił cierpliwie Bernard.

– Nie rozumiem, nad czym się tu zastanawiać. Powinien powiedzieć prawdę, czyż nie? Wszyscy powinniście ją powiedzieć prowadzącej dochodzenie policji, bo jeśli nie, będziecie mieli kłopoty.

– To nie jest takie proste – odparł Bernard. – On być może uważa, że nie może ujawniać pewnych aspektów swojej pracy. Myślę, że jeśli pozwoli pan, bym mu towarzyszył podczas następnej wizyty, to będzie bardziej skory do rozmowy – i znacznie lepiej ode mnie zdoła wyjaśnić całą tę sytuację.

Po tych słowach wstał. My wszyscy również. Komendant pożegnał nas szorstko. Mówiąc nam *au revoir*, Bernard ledwie dostrzegalnie mrugnął prawym okiem i wyszedł razem z komendantem.

Zellaby opadł na fotel i głośno westchnął. Machinalnie sięgnął po papierośnicę.

– Nie znam doktora Torrance'a – powiedziałem – ale już mu współczuję.

– Niepotrzebnie – rzekł Zellaby. – Dyskrecja pułkownika Westcotta była irytująca, ale pasywna. Torrance zawsze zachowywał się agresywnie. Jeśli teraz będzie musiał wyjaśnić wszystko panu Johnowi, w pełni na to zasłużył. W tym momencie bardziej interesuje mnie nastawienie tego twojego pułkownika Westcotta. Uchylił nieco zasłonę tajemnicy skrywającą jego działania. Znalazł nawet wspólny język z panem Johnem, co moim zdaniem wszystkim nam coś mówi. Zastanawiam się, dlaczego to zrobił. Wydaje się, że właśnie tego tak usilnie starał się przez cały czas uniknąć. Worek jest już niemal za mały dla kota, jakim jest Midwich. Dlaczego więc pułkownik najwyraźniej się tym nie przejmuje?

Zellaby zamyślił się, lekko bębniąc palcami o poręcz fotela.

W końcu zjawiła się Angela. Zellaby zobaczył ją z daleka, ale dopiero po chwili wrócił do rzeczywistości i zauważył wyraz jej twarzy.

– Co się stało, moja droga? – zapytał i przypomniawszy sobie, dodał: – Myślałem, że wybierałaś się do szpitala w Trayne z rogiem obfitości.

– Wyruszyłam tam – powiedziała. – Ale nie dojechałam. Wygląda na to, że nie wolno nam opuścić wioski.

Zellaby drgnął.

– To nonsens! Ten stary dureń nie może nałożyć aresztu na wszystkich. Jako sędzia pokoju... – zaczął z oburzeniem.

– To nie komendant, ale Dzieci. Pilnują wszystkich dróg i nikogo nie wypuszczają.

– Coś podobnego! – wykrzyknął Zellaby. – To bardzo interesujące. Zastanawiam się, czy...

– Interesujące, akurat! – warknęła jego małżonka. – To bardzo nieprzyjemne i potwornie oburzające. A także niepokojące – dodała – ponieważ nie wiadomo, co się za tym kryje.

Zellaby zapytał, jak Dzieci to robią. Wyjaśniła i stwierdziła:

– I dotyczy to tylko nas, wiesz? Mieszkańców wioski. Innym ludziom pozwalają swobodnie podążać w obie strony.

– Ale nie używają siły? – zapytał z lekkim niepokojem Zellaby.

– Nie. Po prostu sprawiają, że musisz się zatrzymać. Kilka osób wezwało policję, która to sprawdziła. Co oczywiście nic nie dało. Dzieci nie zatrzymywały i nie niepokoiły policjantów, więc ci nie mogli zrozumieć, o co to całe zamieszanie. Jedynym rezultatem jest to, że ci, którzy słyszeli, że mieszkańcy Midwich to półgłówki, teraz są tego pewni.

– Muszą mieć po temu jakiś powód; to znaczy Dzieci – powiedział Zellaby.

Angela spojrzała na niego z urazą.

– Tak sądzę i zapewne będzie to ogromnie interesujące zagadnienie socjologiczne, ale w tym momencie nie w tym rzecz. Chcę wiedzieć, jak można temu zaradzić.

— Moja droga — rzekł uspokajająco Zellaby. — Rozumiem cię, ale już od dawna wiemy, że jeśli Dzieci zechcą coś zrobić, nie jesteśmy w stanie ich powstrzymać. No cóż, z jakiegoś niepojętego dla mnie powodu najwyraźniej taką blokadę uznały za potrzebną.

— Ależ Gordonie, w szpitalu w Trayne leżą ciężko ranni ludzie. Krewni chcą ich odwiedzić.

— Moja droga, nie sądzę, żeby można coś na to poradzić, poza zwróceniem się do jednego z Dzieci i zaapelowaniem do ich ludzkich uczuć. Być może to rozważą, lecz tak naprawdę wszystko zależy od tego, z jakiego powodu to robią, nie sądzisz?

Angela zmarszczyła brwi, nieusatysfakcjonowana odpowiedzią męża. Chciała coś powiedzieć, ale rozmyśliła się i odeszła urażona. Gdy zamknęła za sobą drzwi, Zellaby potrząsnął głową.

— Przejawem męskiej arogancji są przechwałki — zauważył — a kobieta ma ją we krwi. My czasem rozmyślamy o niegdyś władających światem dinozaurach i zadajemy sobie pytanie, kiedy i jak nadejdzie kres naszego gatunku. Kobiety — nie. One uważają, że są wieczne. Wielkie wojny i katastrofy mogą się zdarzać i przemijać, narody powstawać i upadać, imperia rozsypywać się w proch, lecz wszystko to jest nieistotne: kobieta jest esencją życia i będzie trwać wiecznie. Ona nie wierzy w dinozaury; nie wierzy, by świat w ogóle istniał, zanim ona się na nim pojawiła. Mężczyźni mogą budować, niszczyć i bawić się swoimi zabawkami; są kłopotliwym balastem, niewolnikami efemerycznych konwenansów, ulotnymi jak wiatr, podczas gdy kobieta, połączona mistyczną pępowiną z wielkim drzewem życia, po prostu wie, że jest niezastąpiona. Człowiek się zastanawia, czy samica dinozaura w swoim czasie miała taką samą niezachwianą pewność.

Przerwał, tak wyraźnie czekając na zachęcające pytanie, że musiałem je zadać:

– Jaki to ma związek z obecną sytuacją?

– Taki, że gdy mężczyznę przeraża myśl, że człowieka mógłby wyprzeć jakiś wyżej rozwinięty gatunek, dla kobiety po prostu jest to nie do pomyślenia. A ponieważ nie może sobie tego wyobrazić, uważa taką możliwość za zabawną.

Wyglądało na to, że inicjatywa znów należy do mnie.

– Jeśli pan sugeruje, że widzimy coś, czego pani Zellaby nie dostrzega, to obawiam się...

– Jeśli kogoś nie zaślepia przekonanie, że jest niezastąpiony, musi pogodzić się z tym, że i my pewnego dnia stracimy naszą dominującą pozycję, tak jak przed nami inni panowie stworzenia. Może to nastąpić w dwojaki sposób: albo na skutek naszych autodestrukcyjnych działań, albo w wyniku pojawienia się jakiegoś gatunku, którego nie będziemy w stanie podporządkować. No cóż, właśnie stanęliśmy oko w oko z osobnikami górującymi nad nami siłą woli i umysłowością. Co możemy im przeciwstawić?

– To – powiedziałem mu – brzmi defetystycznie. Jeśli, co zakładam, mówi pan poważnie, czy nie wyciąga pan zbyt daleko idących wniosków z dość banalnych zdarzeń?

– Mniej więcej to samo mówiła moja żona, gdy te zdarzenia jeszcze były rzadsze i mniej niepokojące – przyznał Zellaby. – Ponadto powątpiewała, by tak istotny proces mógł zajść akurat tutaj, w niewielkiej angielskiej wiosce. Bezskutecznie próbowałem ją przekonać, że nie ma znaczenia, gdzie się to zdarzy. Uważała, że coś takiego byłoby zdecydowanie mniej zauważalne w jakimś bardziej egzotycznym miejscu – może jakiejś wiosce na Bali lub w meksykańskim pueblu – że w zasadzie jest to jedna z tych rzeczy, które przydarzają się innym ludziom. Niestety jednak zdarzyło się to tutaj, co było przygnębiająco logiczne.

– To nie lokalizacja mnie niepokoi – rzekłem – ale pańskie

wnioski. Szczególnie założenie, że Dzieci mogą robić, co chcą, i w żaden sposób nie można ich powstrzymać.

— Takie założenie byłoby niemądre. Być może jest to możliwe, ale nie będzie łatwe. W porównaniu z wieloma zwierzętami człowiek jest słabym stworzeniem, ale góruje nad nimi, ponieważ ma lepiej rozwinięty umysł. Pokonać nas może tylko gatunek o jeszcze lepszym umyśle. Takiej możliwości nie traktowano poważnie, a jeszcze mniej prawdopodobne wydawało się, że pozwolilibyśmy mu przetrwać i stać się zagrożeniem. A jednak je mamy — kolejny produkt tej puszki Pandory, jaką jest nieustanny proces ewolucji: zbiorową umysłowość, w jednym wypadku złożony z trzydziestu, w drugim z dwudziestu ośmiu jednostek. Co możemy zdziałać z naszymi mózgami z trudem nawiązującymi ze sobą kontakt przeciwko trzydziestu mózgom pracującym zespołowo?

Zaprotestowałem, przypominając, że mimo to Dzieci w ciągu zaledwie dziewięciu lat nie mogły zdobyć wiedzy pozwalającej skutecznie przeciwstawić się całej ludzkości z jej ogromem wiedzy, ale Zellaby potrząsnął głową.

— Rząd z jakichś sobie tylko wiadomych powodów zapewnił im doskonałych nauczycieli, tak więc ich sumaryczna wiedza powinna być znaczna. I w istocie wiem, że taka jest, ponieważ, jak pan wie, czasem prowadzę z nimi zajęcia. To ważne, lecz nie dlatego stanowią zagrożenie. Wiemy, co napisał Francis Bacon: *nam et ipsa scientia potestas est* — wiedza to potęga — szkoda tylko, że tak wybitny uczony czasem plótł duby smalone. Encyklopedia jest pełna wiadomości, których nie może wykorzystać; wiemy o istnieniu ludzi obdarzonych zdumiewającą zdolnością zapamiętywania faktów i niewiedzących, jaki z nich zrobić użytek; z komputera może bez końca płynąć rzeka informacji — ale cała ta wiedza jest kompletnie nieprzydatna, jeśli nie towarzyszy jej zrozumienie. Wiedza jest tylko rodzajem paliwa i potrzebuje motoru zrozumienia, który zmieni ją w potęgę. Przeraża mnie myśl o potędze powstałej w wyniku zrozumienia nawet niewielkiej ilości wiedzy przez umysł pracujący trzydziestokrotnie wydajniej od naszego. Nawet nie próbuję sobie wyobrazić, co może wytworzyć, gdy Dzieci dorosną.

Zmarszczyłem brwi. Jak zawsze nie byłem pewny, czy Zellaby mówi serio.

— Naprawdę utrzymuje pan, że w żaden sposób nie możemy powstrzymać tych pięćdziesięciorga ośmiorga Dzieci od robienia tego, co chcą? — spytałem.

— Naprawdę. — Skinął głową. — A co proponuje pan zrobić? Wie pan, co się stało zeszłej nocy: ludzie usiłowali zaatakować Dzieci, a zamiast tego zaczęli walczyć między sobą. Wyślijmy policję, a zrobi to samo. Poślijmy na nie żołnierzy, a ci zaczną strzelać do siebie.

— Możliwe — przyznałem. — Muszą być jednak inne sposoby radzenia sobie z Dziećmi. Z tego, co mi pan powiedział, wynika, że niewiele o nich wiemy. Najwyraźniej bardzo wcześnie zerwały kontakt emocjonalny z zastępczymi matkami — jeśli kiedykolwiek darzyły je uczuciami, jakich normalnie oczekujemy u dzieci. Większość z nich ochoczo odseparowała się od rodzin, gdy tylko pojawiła się taka możliwość. W rezultacie mieszkańcy wioski niewiele o nich wiedzą. W krótkim czasie niemal przestano uważać je za jednostki. Ponieważ trudno je od siebie odróżnić, zaczęto traktować je jako zbiorowość, w wyniku czego stały się dwuwymiarowymi i lekko nierealnymi postaciami.

Zellaby słuchał tego z wyraźną aprobatą.

— Ma pan całkowitą rację. Nie ma mowy o normalnych kontaktach i sympatii. Jednak nie tylko z naszej winy. Starałem się maksymalnie do nich zbliżyć, ale wciąż traktują mnie z dystansem. Pomimo wszelkich moich wysiłków nadal są dla mnie — jak doskonale pan to ujął — dwuwymiarowymi postaciami.

I odnoszę nieodparte wrażenie, że personelowi The Grange nie powiodło się lepiej.

– Zatem pozostaje pytanie – rzekłem – jak zdobyć więcej danych.

Zastanawialiśmy się nad tym przez chwilę, aż Zellaby otrząsnął się z zadumy i spytał:

– Mój drogi, czy zastanowił się pan kiedyś, jaki jest tu pański status? Gdyby zechciał pan dzisiaj wyjechać, wyjaśniłoby się, czy dzieci uważają pana za jednego z nas, czy nie.

Dotychczas nie brałem takiej możliwości pod uwagę i teraz trochę się zaniepokoiłem. Postanowiłem to sprawdzić.

Bernard najwyraźniej odjechał z komendantem, więc pożyczyłem sobie jego samochód.

Wszystko się wyjaśniło, gdy tylko przejechałem kawałek drogi w kierunku Oppley. Poczułem się bardzo dziwnie. Moja ręka i noga same zatrzymały samochód, bez udziału mojej woli. Jedno z Dzieci, dziewczynka, siedziało na poboczu, żując źdźbło trawy i spoglądając na mnie beznamiętnie. Ponownie spróbowałem wrzucić bieg, ale moja dłoń nie chciała tego zrobić. Nie mogłem także nacisnąć stopą pedału gazu. Spojrzałem na dziewczynkę i powiedziałem jej, że nie mieszkam w Midwich i chcę wrócić do domu. Tylko pokręciła głową. Znów spróbowałem włączyć bieg i odkryłem, że mogę wrzucić tylko wsteczny.

– Hmm – mruknął Zellaby po moim powrocie. – Zatem jest pan honorowym mieszkańcem wioski, tak? Tak przypuszczałem. Niech mi pan przypomni, żebym polecił Angeli zawiadomić kucharkę, że pan zostaje, dobrze?

W tym samym czasie, gdy Zellaby rozmawiał ze mną w Kyle Manor, inną rozmowę, na podobny temat, lecz w innej atmosferze, prowadzono w The Grange. Doktor Torrance, zobligowany obecnością pułkownika Westcotta, raczył trochę bardziej rzeczowo odpowiadać na pytania komendanta. Wkrótce jednak braku zrozumienia między obiema stronami nie dało się już dłużej ukryć i po kolejnym zdradzającym to pytaniu doktor zauważył ze smutkiem:

— Obawiam się, że nie mogę jaśniej przedstawić panu sytuacji, panie komendancie.

Komendant chrząknął ze zniecierpliwieniem.

— Wszyscy wciąż mi to powtarzają, a ja nie przeczę: wydaje się, że nikt nie potrafi niczego wyjaśnić. I wszyscy powtarzają również — nie dostarczając nawet strzępu informacji, który pomógłby mi to zrozumieć — że te piekielne dzieciaki są w jakiś sposób odpowiedzialne za wydarzenia ostatniej nocy. Mówi tak nawet pan, który, o ile wiem, sprawuje nad nimi opiekę. Przyznaję, że nie rozumiem, jak można było pozwolić im tak całkowicie wymknąć się spod kontroli, że zakłóciły spokój, wywołując zamieszki. Nie wiem, dlaczego oczekuje się ode mnie, że to zrozumiem. Jako policjant chcę porozmawiać z jednym z prowodyrów i dowiedzieć się, co ma do powiedzenia.

— Ależ panie komendancie, już wyjaśniłem, że nie było żadnych prowodyrów...

— Wiem, wiem. Już to słyszałem. Wszyscy tutaj są równi i tak dalej — co w teorii może być dobre, ale wie pan równie dobrze jak ja, że w każdej grupie są przywódcy i tych trzeba wyłonić. Jeśli weźmie się ich w karby, pozostali też się ugną.

Zamilkł wyczekująco.

Doktor Torrance bezradnie spojrzał na pułkownika Westcotta. Bernard odpowiedział nieznacznym wzruszeniem ramion i skinieniem głowy. Dyrektor ośrodka poczuł się jeszcze bardziej nieswojo. Powiedział niechętnie:

— Bardzo dobrze, panie komendancie, ponieważ praktycznie nakazuje mi pan to jako policjant, nie mam innego wyjścia, ale muszę prosić, żeby bardzo ostrożnie dobierał pan słowa. Te Dzieci są bardzo... hmm... wrażliwe.

Wybór tego ostatniego słowa był niefortunny. Dla psychiatry było to fachowe określenie; dla komendanta było słowem, którego używają zaślepione matki mówiące o swoich rozpuszczonych synalkach i bynajmniej nie wzbudziło w nim sympatii dla Dzieci. Zareagował nieartykułowanym pomrukiem dezaprobaty, gdy doktor Torrance wstał i opuścił pokój. Bernard już otwierał usta, by poprzeć ostrzeżenie dyrektora, ale doszedł do wniosku, że to tylko pogłębiłoby irytację komendanta i bardziej by zaszkodziło, niż pomogło. Przekleństwem zdrowego rozsądku, pomyślał, jest to, że gdy trafi na podatną glebę, wydaje dobry plon, a na niesprzyjającej tylko chwasty. Tak więc obaj czekali w milczeniu, aż doktor w końcu wrócił z jednym z Dzieci, chłopcem.

– To jest Eric – przedstawił go. A do chłopca powiedział: – Pan John Tenby chce zadać ci kilka pytań. Widzisz, jego obowiązkiem jako komendanta policji jest sporządzenie raportu o wczorajszych zajściach.

Chłopiec skinął głową i spojrzał na komendanta. Doktor Torrance wrócił na swoje miejsce za biurkiem, aby uważnie i z niepokojem obserwować ich obu.

Chłopiec był spokojny, czujny i obojętny; nie okazywał po sobie żadnych uczuć. Komendant zachowywał się równie spokojnie. Zdrowo wyglądający chłopak, pomyślał. Trochę chudy – nie wychudzony; raczej należałoby go nazwać szczupłym. Z jego twarzy trudno było coś wyczytać; była ładna, ale pozbawiona cech świadczących o słabym charakterze, które często towarzyszą urodziwym rysom. Z drugiej strony nic w niej nie sugerowało siły woli; usta były trochę małe, ale nie zaciśnięte. Ta twarz niewiele mówiła o jej właścicielu. Natomiast oczy były nawet dziwniejsze, niż komendant oczekiwał po tym, co mu powiedziano. Mówiono mu o niezwykłym złocistym kolorze tęczówek, ale nikt nie zdołał opisać ich uderzającego blasku, dziwnego wrażenia, że coś je rozświetla od wewnątrz. Na moment zaniepokoiło go to, a potem wziął się w garść; przypomniał sobie, że ma do czynienia z dziwolągiem: chłopcem zaledwie dziewięcioletnim, ale wyglądającym na szesnastolatka, ponadto wykarmionym bzdurnymi teoriami o samorealizacji, spontaniczności i tym podobnych rzeczach. Postanowił potraktować go tak, jakby chłopak miał tyle lat, na ile wyglądał.

– Zeszłej nocy wybuchły tu zamieszki – powiedział. – Naszym zadaniem jest wyjaśnienie tej sprawy i ustalenie, co naprawdę się stało – kto jest za to odpowiedzialny i w jakim stopniu. Wszyscy twierdzą, że ty i twoi koledzy. Co ty na to?

– Nie – rzekł bez namysłu chłopiec.

Komendant skinął głową. Rzadko można oczekiwać natychmiastowego przyznania się do winy.

– A co właściwie się stało? – zapytał.

– Ludzie z wioski przyszli tu spalić The Grange – odparł chłopak.

– Jesteś tego pewny?

– Tak mówili, a nie mieli innego powodu, żeby przyjść tu o takiej porze – powiedział chłopiec.

– No dobrze, na razie nie będziemy mówić o tym kto i dlaczego. Ustalmy co innego. Mówisz, że część uczestników zajścia przyszła tu spalić ośrodek. Zapewne inni przyszli tu ich powstrzymać i zaczęła się bijatyka?

– Tak – potwierdził chłopak, ale mniej zdecydowanie.

– Zatem w istocie ty i twoi przyjaciele nie mieliście z tym nic wspólnego. Byliście tylko widzami?

– Nie – powiedział chłopak. – Musieliśmy się bronić. To było konieczne, inaczej spaliliby nasz dom.

– Chcesz powiedzieć, że powiedzieliście niektórym z nich, żeby powstrzymali pozostałych?

– Nie – odparł cierpliwie chłopak. – Kazaliśmy im walczyć między sobą. Mogliśmy po prostu kazać im odejść, ale prawdopodobnie wróciliby tu później. Teraz tego nie zrobią, ponieważ zrozumieli, że lepiej zostawić nas w spokoju.

Komendant milczał chwilę, lekko zaskoczony.

– Mówisz, że „kazaliście" im walczyć między sobą. Jak to zrobiliście?

– Trudno to wyjaśnić. Nie sądzę, żeby zdołał pan to pojąć – oznajmił chłopiec.

Komendant lekko pokraśniał.

– Pomimo to chciałbym to usłyszeć – rzekł, z wyraźnym trudem panując nad sobą.

– Nic by to nie dało – oświadczył chłopak. Powiedział to spokojnie i bez cienia ironii, jakby stwierdzał fakt.

Komendant zrobił się czerwony jak burak. Doktor Torrance pospiesznie wtrącił:

– To niezmiernie zawiła sprawa, coś, co my wszyscy tutaj próbujemy z niewielkim skutkiem rozumieć już od kilku lat. Możemy jedynie powiedzieć, że Dzieci siłą woli skłoniły ten tłum ludzi, żeby zwrócił się przeciwko sobie.

Komendant popatrzył na niego, a potem na chłopca. Wymamrotał coś pod nosem, ale zaraz się opanował. Kilkakrotnie głęboko odetchnął, a w końcu znów przemówił do chłopca, teraz trochę bardziej szorstkim tonem.

– Jakkolwiek tego dokonano – czym zajmiemy się później – przyznajesz, że jesteście odpowiedzialni za to, co zaszło?

– Broniliśmy się – powiedział chłopiec.

– W wyniku czego cztery osoby straciły życie, a trzynaście odniosło poważne obrażenia, chociaż, jak powiedziałeś, mogliście po prostu kazać im odejść.

– Chcieli nas pozabijać – przypomniał mu beznamiętnie chłopiec.

Komendant obrzucił go przeciągłym spojrzeniem.

– Nie rozumiem, jak zdołaliście to zrobić, ale na razie uwierzę ci na słowo, a także w to, że nie było to konieczne.

– Oni przyszliby ponownie. Wtedy byłoby to konieczne – odparł chłopiec.

– Tego nie możecie być pewni. Wasze postępowanie było nieludzkie. Nie żal wam tych nieszczęsnych ludzi?

– Nie – powiedział chłopak. – Dlaczego mielibyśmy ich żałować? Wczoraj jeden z nich postrzelił jednego z nas. Musimy się bronić.

– Nie poprzez wendettę. Prawo chroni was i każdego...

– Prawo nie uchroniło Wilfreda i nie obroniłoby nas zeszłej nocy. Prawo karze przestępcę po tym, jak już popełnił zbrodnię; nie będziemy na to czekać, zamierzamy pozostać przy życiu.

– Jednak nie przeszkadza wam to, że przez was – jak sam przyznałeś – zginęli ludzie?

– Czy musimy powtarzać to w kółko? – spytał chłopak. – Odpowiedziałem na pańskie pytania, ponieważ uważaliśmy, że będzie lepiej, jeśli zrozumiecie sytuację. Ponieważ najwyraźniej jej pan nie ogarnia, wyłożę to jaśniej. Rzecz w tym, że będziemy się bronić przed wszelkimi próbami naprzykrzania się lub dokuczania nam. Pokazaliśmy, że potrafimy to robić i mamy nadzieję, że to ostrzeżenie pozwoli zapobiec kolejnym kłopotom.

Komendant gapił się na niego oniemiały, z pobielałymi palcami zaciśniętych pięści i purpurową twarzą. Zaczął się podnosić z krzesła, jakby zamierzał zaatakować chłopca, ale zaraz się rozmyślił i z powrotem na nie opadł. Dopiero po kilku sekundach się opanował. W końcu zduszonym głosem powiedział do chłopca, który mierzył go krytycznym i chłodnym spojrzeniem.

– Ty przeklęty łobuzie! Nieznośny mały zarozumialcu! Czy zdajesz sobie sprawę, że jestem przedstawicielem prawa w tym okręgu? Jeśli nie, to czas, żebyś to pojął, i dopilnuję, żeby tak się stało, na Boga! Jak śmiesz w taki sposób mówić do dorosłego, nadęty mały błaźnie! Nie wolno wam „dokuczać", bo będziecie się bronić, tak? Co wy sobie wyobrażacie? Musicie się jeszcze wiele nauczyć, synu, i...

Nagle zamilkł i tylko patrzył na chłopca.

Doktor Torrance skulił się za swoim biurkiem.

– Ericu – zaprotestował, ale nie próbował się wtrącać.

Bernard Westcott przezornie pozostał na swoim krześle, obserwując.

Komendantowi opadła szczęka; rozdziawił usta i wytrzeszczył oczy. Włosy na głowie lekko mu się zjeżyły. Pot wystąpił mu na czoło i skronie, spływając po twarzy. Z jego ust wydobywał się niezrozumiały bełkot, a z oczu płynęły łzy. Zaczął się trząść, ale nie był w stanie się poruszyć. Potem, po kilku długich jak wieki sekundach, jednak się poruszył. Uniósł drżące dłonie i zakrył nimi twarz. Zaskrzeczał dziwnie przez przyciśnięte do ust palce. Zsunął się z krzesła na kolana, a następnie upadł twarzą do podłogi. Tarzał się po niej, dygocząc i skamląc, szarpał dywan, jakby chciał wyrwać w nim dziurę. Nagle zwymiotował.

Chłopak oderwał od niego wzrok i powiedział do doktora Torrance'a, jakby odpowiadał na pytanie:

– Nic mu nie będzie. Chciał nas przestraszyć, więc pokazaliśmy mu, co to znaczy strach. Teraz to zrozumie. Dojdzie do siebie, kiedy jego gruczoły znów zaczną normalnie funkcjonować.

Potem odwrócił się i wyszedł z pokoju, zostawiając obu mężczyzn spoglądających na siebie nawzajem.

Bernard wyjął chusteczkę i otarł krople potu z czoła. Doktor Torrance siedział nieruchomo, chorobliwie blady. Obaj obrócili się i spojrzeli na komendanta. Ten leżał bezwładnie, nieprzytomny, ciężko i spazmatycznie dysząc, chwilami wstrząsany silnymi drgawkami.

– Mój Boże! – wykrzyknął Bernard. Znów popatrzył na Torrance'a. – A pan jest tu od trzech lat!

– Nigdy nie zdarzyło się coś takiego – wykrztusił dyrektor. – Mieliśmy różne podejrzenia, ale nigdy nie zauważyliśmy u nich żadnych przejawów agresji i po tym, co się tu stało, dziękuję za to Bogu!

– Owszem, ma pan za co dziękować – powiedział Bernard. Znowu spojrzał na komendanta. – Tego człowieka trzeba stąd zabrać, zanim odzyska przytomność. I będzie lepiej, jeśli nas przy tym nie będzie. Nikt nie chciałby, żeby widziano go w takim stanie. Niech pan tu wezwie paru jego ludzi, żeby go zabrali. Powie im pan, że dostał jakiegoś ataku.

Pięć minut później stali na schodach i obserwowali, jak mundurowi wywożą komendanta, wciąż półprzytomnego.

– „Dojdzie do siebie, kiedy jego gruczoły znów zaczną normalnie funkcjonować"! – mruknął Bernard. – Te Dzieci chyba lepiej się znają na fizjologii niż na psychologii. Złamały tego człowieka. Do końca życia nie dojdzie do siebie.

ROZDZIAŁ 19

Impas

Po dwóch szklaneczkach mocnej whisky Bernard trochę się otrząsnął z wrażenia, z jakim wrócił do Kyle Manor. Zdał nam sprawę z katastrofalnego rezultatu przeprowadzonego przez komendanta przesłuchania i mówił dalej:

– Wiecie, jedną z niewielu dziecięcych cech, które dostrzegam u Dzieci, jest niedocenianie własnej siły. Może z wyjątkiem blokady wioski wszystkie ich działania były przesadnie agresywne. Chociaż można by usprawiedliwić ich zamiary, to sposób ich realizacji jest karygodny. Chciały przestraszyć komendanta, żeby go przekonać, że niemądrze jest im przeszkadzać, ale nie ograniczyły się do tego, co w tym celu było konieczne, tylko posunęły się tak daleko, że doprowadziły tego nieszczęśnika do stanu przerażenia graniczącego z obłędem. Poniżyły go, co było obrzydliwe i absolutnie niewybaczalne.

Zellaby zapytał łagodnie i rozsądnie:

– A może patrzymy na to w niewłaściwy sposób? Pan, pułkowniku, mówi o ich „niewybaczalnym" postępowaniu, co sugeruje, że spodziewają się przebaczenia. Dlaczego miałyby go oczekiwać? Czy my przejmujemy się tym, czy szakale lub wilki wybaczą nam, że do nich strzelamy? Wcale nie. Chcemy tylko, żeby nam nie zagrażały. I w rzeczy samej uzyskaliśmy nad nimi taką przewagę, że obecnie rzadko musimy je zabijać. Większość ludzi nie musi osobiście walczyć z innym gatunkiem o przetrwanie. Gdy jednak zajdzie taka potrzeba, bez skrupułów popieramy tych, którzy zabijają, żeby usunąć zagrożenie, obojętnie, czy ze strony wilków, owadów, bakterii czy mikroskopijnych wirusów; nie mamy litości i na pewno nie oczekujemy przebaczenia. Jeśli chodzi o Dzieci, to najwyraźniej nie pojęliśmy, że są zagrożeniem dla naszego gatunku, natomiast one nie mają żadnych wątpliwości, że my jesteśmy zagrożeniem dla nich. A zamierzają przetrwać. Byłoby dobrze, gdybyśmy sobie uświadomili, co to oznacza. Każdego dnia możemy zobaczyć przebieg takiego procesu w ogrodzie: to nieustanna, zażarta i bezpardonowa walka...

Zellaby mówił spokojnie, ale niewątpliwie był poruszony; mimo to – co często mu się zdarzało – zbyt ogólnikowo przedstawił problem i rozdźwięk między teorią a praktyką wydawał się za duży, żeby przekonać słuchaczy.

W końcu Bernard rzekł:

– Niewątpliwie Dzieci zmieniły front. Dotychczas od czasu do czasu wywierały nacisk, lecz poza kilkoma incydentami na początku niemal nie używały siły. Teraz zmieniły taktykę. Czy może pan wskazać jakiś punkt przełomowy, czy może ta zmiana zaszła stopniowo?

– Zdecydowanie to pierwsze – odparł Zellaby. – Nic jej nie zapowiadało przed tym wypadkiem drogowym, w którym zginął Jimmy Pawle.

– A to się zdarzyło... niech pomyślę... w zeszłą środę,

trzeciego lipca. Zastanawiam się... – zaczął Bernard i urwał, ponieważ gong wezwał nas na lunch.

– Moja koncepcja międzyplanetarnych inwazji – powiedział Zellaby, doprawiając sobie sałatkę wedle swego gustu – jest czysto teoretyczna. Chyba można by nawet rzec, że hipotetyczna? – Zastanawiał się nad tym przez moment, po czym ciągnął: – W każdym razie dość rozbudowana. A jednak, co dziwne, nie przypominam sobie żadnej takiej, która pomogłaby nam rozwiązać problem, jaki mamy teraz. Wszystkie, niemal bez wyjątku, były nieprzyjemne, ale także prawie zawsze jawne, a nie skryte. Weźmy na przykład Marsjan H.G. Wellsa. Kiedy razili promieniami śmierci, byli groźnymi przeciwnikami, ale działali konwencjonalnie: po prostu prowadzili typową kampanię, używając broni przewyższającej każdą, jakiej mogliśmy przeciwko nim użyć. Przynajmniej jednak mogliśmy próbować z nimi walczyć, natomiast teraz...

– Nie dodawaj pieprzu kajeńskiego, kochanie – powiedziała jego żona.

– Czego?

– Pieprzu kajeńskiego. Dostajesz czkawki – przypomniała mu Angela.

– Rzeczywiście. Gdzie cukier?

– Obok twojej lewej ręki, kochanie.

– No tak... o czym mówiłem?

– O Marsjanach Wellsa – przypomniałem.

– Oczywiście. Cóż, oto pierwowzór niezliczonych inwazji. Superoręż, któremu ludzkość przeciwstawia swój mizerny arsenał, dopóki nie zostanie ocalona jakimś cudem. Naturalnie w Ameryce wszystko to przebiega z większym rozmachem. Coś spada z nieba i coś z niego wychodzi. Po dziesięciu minutach, niewątpliwie dzięki doskonałej sieci łączności, w całym kraju wybucha panika i wszystkie pasy wszystkich autostrad zostają zapchane samochodami uciekającej ludności – tylko nie w Waszyngtonie. Tam niezliczone pobladłe tłumy, widoczne jak okiem sięgnąć, stoją w ponurym milczeniu, ufnie spoglądając na Biały Dom, podczas gdy gdzieś na wzgórzach Catskill jakiś dotychczas ignorowany profesor ze swoją córką i gburowatym młodym asystentem w szaleńczym trudzie usiłują powołać do życia *dea ex laboritoria*, aby ocalić świat w ostatniej chwili, na sekundę przed końcem. Wydaje się, że w naszym kraju wieść o takiej inwazji przynajmniej w niektórych kręgach przyjęto by z pewną dozą sceptycyzmu, ale musimy zakładać, że Amerykanie najlepiej znają swój naród. No i z czym właściwie mamy tu do czynienia? Po prostu z kolejną wojną. Motywy są uproszczone, uzbrojenie skomplikowane, ale schemat jest ten sam i w rezultacie wszystkie prognozy, spekulacje czy teorie okazują się zupełnie bezużyteczne, gdy rzeczywiście do niej dojdzie. Naprawdę można tylko współczuć tym, którzy tyle trudu włożyli w sporządzanie tych wszystkich prognoz, nieprawdaż?

Zajął się konsumowaniem sałatki.

– Nigdy nie wiem, czy pańskie słowa traktować dosłownie, czy jako metaforę – powiedziałem.

– Tym razem z pewnością możesz potraktować je dosłownie – wtrącił Bernard.

Zellaby zerknął na niego z ukosa.

– Tak po prostu? Bez odruchowego sprzeciwu? – spytał. – Proszę mi powiedzieć, pułkowniku, od jak dawna uważa pan tę inwazję za fakt?

– Od około ośmiu lat – oznajmił Bernard. – A pan?

– Mniej więcej tyle samo – może trochę dłużej. Nie spodobała mi się, nie podoba i zapewne będzie się podobała jeszcze mniej. Musiałem jednak ją zaakceptować. No wie pan, ta stara zasada Holmesa: „Jeśli wykluczyć niemożliwe, to, co pozostaje, jakkolwiek nieprawdopodobne, musi być prawdą". Jednakże nie wiedziałem, że w kręgach oficjalnych też uznano ją za fakt. Co postanowiliście z tym zrobić?

– Cóż, robiliśmy, co mogliśmy, żeby odizolować tu Dzieci, i zajęliśmy się ich kształceniem.

– Jak się okazuje, z doskonałym skutkiem, że tak powiem. Po co?

– Chwileczkę – wtrąciłem. – Znów nie wiem, jak mam to rozumieć. Czy obaj naprawdę przyjmujecie jako fakt, że te Dzieci są... swego rodzaju najeźdźcami? Uważacie, że pochodzą spoza Ziemi?

– Widzicie? – zauważył Zellaby. – Żadnej ogólnokrajowej paniki. Tylko sceptycyzm. Mówiłem.

– Tak uważamy – powiedział do mnie Bernard. – To jedyna hipoteza, której mój wydział nie był zmuszony odrzucić – choć oczywiście niektórzy wciąż jej nie akceptują, mimo że na jej poparcie mieliśmy nieco więcej dowodów, niż miał pan Zellaby.

– Ach! – wykrzyknął Zellaby z nagłym zaciekawieniem, zatrzymując w powietrzu widelec z zieleniną. – Czyżbyśmy zbliżali się do wyjaśnienia zagadkowego zainteresowania wywiadu naszą wioską?

– Sądzę, że nie ma już powodu, by trzymać to w ścisłej tajemnicy – przyznał Bernard. – Wiem, że w początkowej fazie dociekał pan powodu naszego zainteresowania, panie Zellaby, ale nie sądzę, żeby go pan odkrył.

– A jaki to powód? – spytał Zellaby.

– Po prostu Midwich nie było jedyną ani nawet pierwszą miejscowością dotkniętą przez Komę. Ponadto podczas tamtych trzech tygodni odnotowano znaczące zwiększenie liczby wykrywanych niezidentyfikowanych obiektów latających.

– A niech mnie licho! – zawołał Zellaby. – Za moją próżność! Zatem oprócz naszej są jeszcze inne grupy Dzieci, tak? Gdzie?

Bernard jednak nie dał się popędzać i ciągnął powoli:

– Jedna Koma nastąpiła w małym miasteczku w północnej Australii. Najwyraźniej coś tam jednak poszło nie tak. Trzydzieści trzy kobiety zaszły w ciążę, ale z jakiegoś powodu wszystkie dzieci zmarły; większość kilka godzin po narodzinach, ostatnie po tygodniu. Inna Koma wydarzyła się w eskimoskiej osadzie na Wyspie Wiktorii, na północ od Kanady. Jej mieszkańcy nie chcą mówić o tym, co zaszło, ale uważa się, że byli tak oburzeni lub przestraszeni przyjściem na świat niepodobnych do nich dzieci, że niemal natychmiast pozostawili je na mrozie. W każdym razie żadne nie przeżyło. Co, nawiasem mówiąc, wraz z czasem powrotu Dzieci do Midwich sugeruje, że ich zdolność wywierania wewnętrznego przymusu rozwija się dopiero po tygodniu lub dwóch, a do tego czasu są indywidualnymi bytami. Inna Koma...

Zellaby podniósł rękę.

– Niech zgadnę. Nastąpiła za Żelazną Kurtyną.

– Wiemy o dwóch, które się tam zdarzyły – sprostował Bernard. – Jedna w okolicy Irkucka, w pobliżu granicy z Mongolią. To bardzo ponura historia. Założono tam, że kobiety obcowały z diabłami i zabito je razem z dziećmi. Druga na wschodzie, w miasteczku Giżynsk, w górach na północny wschód od Ochocka. Może były też inne, o których nic nie wiemy. To pewne, że zdarzyło się to także w kilku miejscach w Ameryce Południowej i Afryce, ale trudno to sprawdzić. Mieszkańcy tych terenów są skryci. Być może jakaś odizolowana od świata wioska straciła cały dzień i nic o tym nie wie – w takim wypadku narodziny Dzieci tym bardziej byłyby zagadką. W większości znanych nam wypadków noworodki uznano za wybryk natury i zabito, ale podejrzewamy, że kilka być może ukryto.

– Rozumiem, że nie w Giżynsku? – spytał Zellaby.

Bernard spojrzał na niego z nikłym uśmiechem.

– Niewiele panu umyka, prawda? Ma pan rację – nie w Giżynsku. Tam Koma zdarzyła się tydzień przed tą w Midwich. Trzy lub cztery dni później otrzymaliśmy o tym raport. To zdarzenie bardzo zaniepokoiło Rosjan, co trochę nas uspokoiło, bo kiedy nastąpiło u nas, wiedzieliśmy, że oni nie są za nie odpowiedzialni. Zapewne po pewnym czasie dowiedzieli się o Midwich i też się uspokoili. Tymczasem nasz agent obserwował Giżynsk i zameldował o dziwnym, jednoczesnym zajściu w ciążę wszystkich tamtejszych kobiet. Nie od razu zrozumieliśmy znaczenie tego faktu – ta informacja wydawała się bezużyteczna, choć ciekawa – lecz w końcu odkryliśmy stan rzeczy w Midwich i zainteresowaliśmy się tym. Po narodzinach dzieci Rosjanie mieli łatwiejszą sytuację niż my: całkowicie odizolowali Giżynsk – miejscowość dwukrotnie większą od Midwich – i praktycznie przestaliśmy otrzymywać stamtąd informacje. My nie mogliśmy odizolować Midwich, więc musieliśmy działać inaczej, i sądzę, że w tych okolicznościach poradziliśmy sobie nieźle.

Zellaby pokiwał głową.

– Rozumiem. Ministerstwo wojny uważało, że nie ma pewności, co się pojawiło tutaj czy u Rosjan. Gdyby jednak się okazało, że Rosjanie mają gromadę potencjalnych geniuszy, dobrze byłoby, gdybyśmy mogli im przeciwstawić naszych?

– Mniej więcej tak. Szybko stało się oczywiste, że Dzieci są niezwykłe.

– Powinienem to przewidzieć – rzekł Zellaby. Ze smutkiem pokręcił głową. – Po prostu nigdy nie przyszło mi do głowy, że to wydarzyło się nie tylko w Midwich. Teraz jednak przypuszczam, że nie powiedział nam pan o tym z jakiegoś konkretnego powodu. Nie pojmuję, jak tutejsze wydarzenia miały to uzasadniać, więc zapewne coś się stało gdzie indziej, na przykład w Giżynsku? Czy zaszło tam coś, czego wkrótce możemy się spodziewać tutaj?

Bernard starannie położył nóż i widelec na talerzu, przyglądał się im przez moment, a potem spojrzał na nas.

– Armię Dalekowschodnią – rzekł powoli – wyposażono niedawno w nowe działo atomowe, o zasięgu pięćdziesięciu do sześćdziesięciu mil. W zeszłym tygodniu przeprowadzono pierwsze próby z ostrą amunicją. Miasto Giżynsk przestało istnieć...

Wytrzeszczyliśmy oczy.

– Mówi pan... że zabili wszystkich mieszkańców? – zapytała ze zgrozą Angela.

Bernard skinął głową.

– Wszystkich. Starli całe miasto z powierzchni ziemi. Nie mogli nikogo ostrzec, ponieważ Dzieci dowiedziałyby się, co zamierzają. Ponadto w ten sposób mogą oficjalnie uznać to za błąd w obliczeniach – albo sabotaż.

Znów zamilkł na chwilę.

– Oficjalnie – powtórzył – na użytek opinii publicznej. Otrzymaliśmy jednak od Rosjan ostrożnie sformułowany raport. Niewiele jest w nim szczegółów i konkretów, ale nie ma wątpliwości, że dotyczy Giżynska i prawdopodobnie został wysłany równocześnie z przeprowadzoną tam akcją. Wprawdzie nie wspomina o Midwich, ale zawiera bardzo wyraźnie sformułowane ostrzeżenie. Po opisie dokładnie pasującym do Dzieci nazywa je grupą stanowiącą ogromne zagrożenie nie tylko dla kraju, w którym się pojawiają, ale dla całego świata. Wzywa rządy wszystkich państw do niezwłocznego „unieszkodliwiania" wszelkich takich grup, gdziekolwiek się pojawią. Zaleca to z naciskiem chwilami graniczącym z paniką. Parę razy podkreśla, a nawet prosi, żeby robić to szybko nie tylko dla dobra narodów czy kontynentów, ale dlatego że te Dzieci są zagrożeniem dla całej ludzkości.

Zellaby przez chwilę wpatrywał się w adamaszkowy obrus, zanim oderwał od niego oczy.

– A jaka jest reakcja wywiadu na ten raport? – zapytał. – Pewnie się zastanawiacie, czy Rosjanie nie próbują nas podejść? – Znów wbił wzrok w adamaszkowy obrus.

– Większość się zastanawia, ale niektórzy nie – przyznał Bernard.

Zellaby w końcu znów na niego spojrzał.

– Mówi pan, że zniszczyli Giżynsk w zeszłym tygodniu. Kiedy dokładnie?

– We wtorek drugiego lipca – powiedział mu Bernard.

Zellaby powoli pokiwał głową.

– Interesujące – rzekł. – Ale skąd wiedzą o tym nasze Dzieci…?

Niedługo po lunchu Bernard oznajmił, że znów się wybiera do The Grange.

– Nie miałem okazji porozmawiać z Torrance'em przy komendancie, a potem obaj musieliśmy ochłonąć.

– Zapewne nie może nam pan powiedzieć, co zamierzacie zrobić z Dziećmi? – spytała Angela.

Potrząsnął głową.

– Gdybym to wiedział, zapewne byłoby to ściśle tajne. Zamierzam po prostu sprawdzić, czy Torrance, który trochę je zna, ma jakiś pomysł. Zamierzam wrócić za parę godzin – dodał, opuszczając nas.

Wyszedłszy frontowymi drzwiami, odruchowo skierował się do swojego samochodu, lecz gdy już miał chwycić klamkę, zmienił zamiar. Zdecydował, że trochę ruchu dobrze mu zrobi i raźnym krokiem pomaszerował podjazdem.

Tuż za bramą zobaczył drobną kobietę w niebieskiej tweedowej garsonce. Zauważyła go, zawahała się, a potem ruszyła mu na spotkanie. Zaczerwieniła się lekko, ale dzielnie szła dalej. Bernard ukłonił się jej.

– Nazywam się Lamb. Pan mnie nie zna, ale oczywiście wszyscy tu wiemy, kim pan jest, pułkowniku Westcott.

Bernard skwitował ten wstęp lekkim ukłonem, zastanawiając się, ile „wszyscy tu" (co zapewne oznaczało całe Midwich) o nim wiedzą i od jak dawna. Zapytał, w czym mógłby jej pomóc.

– Chodzi o dzieci, pułkowniku. Co się z nimi stanie?

Powiedział jej, zgodnie z prawdą, że jeszcze nie podjęto decyzji. Słuchała, bacznie mu się przyglądając i kurczowo zaciskając urękawiczone dłonie.

– Nie potraktujecie ich surowo, prawda? – zapytała. – Och, wiem, że wczorajsza noc była okropna, ale to nie ich wina. One jeszcze tego nie rozumieją. No wie pan, są za małe. Wiem, że wyglądają na dwukrotnie starsze, niż naprawdę są, ale nawet gdyby miały tyle lat, nadal byłyby dziećmi. Nie chciały nikogo skrzywdzić. Były przestraszone. Kto by się nie wystraszył, gdyby tłum ludzi zbliżał się do jego domu, zamierzając go spalić? Każdy, oczywiście. Miałby prawo się bronić i nikt nie mógłby mieć mu tego za złe. No cóż, gdyby tak zaatakowano mój dom, chwyciłabym, co miałabym pod ręką. Może siekierę.

Bernard mocno w to wątpił. Trudno było sobie wyobrazić tę kruchą kobietę rzucającą się z siekierą na tłum.

– Wybrali bardzo drastyczny sposób samoobrony – przypomniał jej łagodnie

– Wiem. Jednak młodzi i przestraszeni ludzie często reagują gwałtowniej, niż zamierzali. Wiem, że gdy byłam dzieckiem, bardzo boleśnie odczuwałam niesprawiedliwe traktowanie. Gdybym wtedy mogła zareagować tak, jak chciałam, byłoby to straszne, naprawdę straszne, zapewniam.

– Niestety – rzekł – Dzieci mają taką możliwość i musi pani przyznać, że nie można pozwolić by z niej korzystały.

– To prawda – powiedziała. – Jednak nie będą tego robić, kiedy będą dostatecznie duże, żeby to zrozumieć. Jestem tego pewna. Ludzie mówią, że należy je stąd wypędzić. Nie zrobicie tego, prawda? Są takie młode. Wiem, że są uparte, ale nas potrzebują. Nie są z gruntu złe. Po prostu ostatnio kilkakrotnie bardzo się przelękły. Przedtem nie były takie. Jeśli będą mogły tu zostać, to nauczymy je czułości i łagodności, udowodnimy im, że ludzie nie chcą ich skrzywdzić...

Spoglądała mu w oczy, nerwowo zaciskając dłonie, z błaganiem w oczach, bliska łez.

Bernard patrzył na nią z przygnębieniem, podziwiając przywiązanie, które pozwalało jej uważać sześciu zabitych i wielu rannych za ofiary dziecinnego wybryku. Niemal widział uwielbianą smukłą postać o złocistych oczach, która przesłaniała jej cały świat. Ona nigdy nie przestanie kochać swego dziecka, nigdy nie znajdzie w nim żadnej winy, nigdy nie zrozumie... Ono po prostu jest jedyną cudowną, wspaniałą rzeczą w jej życiu... Głęboko współczuł pannie Lamb...

Mógł jej tylko wyjaśnić, że nie on o tym zdecyduje, i zapewnić ją, starając się nie budzić płonnych nadziei, że zamieści w raporcie to, co mu powiedziała, a potem jak najdelikatniej pożegnać się i odejść, świadomy zaniepokojonego i karcącego spojrzenia, jakim go odprowadzała.

Wieś, przez którą szedł, wydawała się cicha i spokojna. Podejrzewał, że wymuszona izolacja wywołała głębokie poruszenie, lecz nieliczni napotkani ludzie, poza paroma rozmawiającymi osobami, wyglądali na zajętych własnymi sprawami. Policjant patrolujący Błonie był najwyraźniej znudzony. Najwidoczniej mieszkańcy pojęli nauczkę, jaką dały im Dzieci – gromadzenie się jest niebezpieczne. Skuteczny sposób wprowadzenia dyktatury: nic dziwnego, że Rosjanom nie spodobał się rozwój sytuacji w Giżynsku...

Po przejściu dwudziestu kroków po Hickham Lane napotkał dwoje Dzieci. Siedziały na poboczu i patrzyły w górę i na zachód z takim skupieniem, że nie zauważyły, jak nadchodził.

Bernard przystanął i obrócił głowę, po czym spojrzał w tym samym kierunku, już słysząc ryk silników odrzutowca. Samolot był dobrze widoczny: srebrzysty obiekt na tle błękitnego letniego nieba, nadlatujący na wysokości około pięciu tysięcy stóp. Zaledwie go zobaczył, pojawiło się pod nim pięć czarnych punkcików. Jeden po drugim otworzyły białe spadochrony i zaczęły powoli opadać w dół. Samolot leciał dalej.

Bernard znów popatrzył na Dzieci, w samą porę, by dostrzec, jak uśmiechają się do siebie z satysfakcją. Ponownie spojrzał w górę na spokojnie podążający dalej samolot i pięć powolnie opadających za nim białych plamek. Niewiele wiedział o samolotach, ale był niemal pewny, że patrzy na lekki bombowiec dalekiego zasięgu, zwykle obsługiwany przez pięcioosobową załogę. Znów uważnie spojrzał na Dzieci, które w tym momencie go zauważyły. Wszyscy troje przyglądali się sobie, gdy bombowiec z warkotem przelatywał nad ich głowami.

— To była bardzo droga maszyna — zauważył Bernard. — Ktoś będzie bardzo rozgniewany jej utratą.

— To ostrzeżenie. Jednak zapewne będą musieli stracić jeszcze kilka, zanim w to uwierzą.

— Zapewne. Dokonaliście czegoś niezwykłego — rzekł i zamilkł, wciąż im się przyglądając. — Nie chcecie, żeby jakiś samolot przelatywał wam nad głowami, tak?

— Tak — przyznał chłopak.

Bernard skinął głową.

— Mogę to zrozumieć. Powiedzcie mi jednak, dlaczego wasze ostrzeżenia zawsze są takie drastyczne — dlaczego zawsze posuwacie się dalej, niż to konieczne? Nie mogliście po prostu sprawić, żeby zawrócili?

— Mogliśmy sprawić, żeby się rozbił — powiedziała dziewczyna.

— Możliwe. I pewnie mamy być wam wdzięczni za to, że tego nie zrobiliście. Jednak równie dobrze mogliście go zawrócić, nieprawdaż? Nie rozumiem, dlaczego musicie działać tak agresywnie.

— Bo to robi większe wrażenie. Musielibyśmy zawrócić bardzo wiele samolotów, zanim ktoś by uwierzył, że potrafimy to robić. Jeśli jednak stracą każdy samolot, który tu przyleci, to zrobi wrażenie — powiedział chłopak.

— Rozumiem. Zapewne to samo dotyczy zeszłej nocy. Gdybyście tylko zmusili tłum do odwrotu, nie byłoby to wystarczające ostrzeżenie — podsunął Bernard.

— Uważa pan, że byłoby? — spytał chłopiec.

— Wydaje mi się, że to zależy od tego, jak zostałoby to zrobione. Przecież nie musieliście zmuszać ich, żeby się bili i mordowali? Chodzi mi o to, że chyba niezbyt praktyczne i rozsądne jest zawsze posuwać się za daleko, co tylko potęguje gniew i nienawiść?

— I strach — przypomniał chłopak.

— Ach, więc chcecie budzić strach, tak? Dlaczego? — zapytał Bernard.

— Tylko po to, żebyście zostawili nas w spokoju — powiedział chłopak. — To środek do celu, nie cel. — Złocistymi oczami spokojnie patrzył na Bernarda. — Prędzej czy później spróbujecie nas zabić. Bez względu na nasze zachowanie będziecie próbowali nas zniszczyć. Tylko przejmując inicjatywę, możemy wzmocnić naszą pozycję.

Chłopiec powiedział to beznamiętnie, lecz mimo to jego słowa przebiły pancerz spokoju, który przywdział Bernard. Nagle doznał wrażenia, że słucha dorosłego mężczyzny i widzi przed sobą szesnastolatka, chociaż wiedział, że mówi do niego dziewięcioletni chłopiec.

– Na moment – powiedział później – zupełnie wytrąciło mnie to z równowagi. Jeszcze nigdy nie byłem tak bliski paniki. To połączenie dziecka z dorosłym wydawało się tak przerażające, że całkowicie obalało normalny porządek rzeczy... Wiem, że teraz wydaje się to mało ważne, ale wtedy było to dla mnie objawienie i – na Boga – przeraziło mnie... Nagle ujrzałem je dwuwymiarowo: jako jednostki i jako zbiorowość – gromadę dorosłych rozmawiających ze mną jak równi z równym...

Dopiero po paru chwilach Bernard wziął się w garść. A wtedy przypomniał sobie incydent z komendantem, również niepokojący, lecz w inny, o wiele konkretniejszy sposób. Uważnie przyjrzał się chłopcu.

– Czy ty jesteś Eric?

– Nie – odrzekł chłopak. – Czasem jestem Joseph. Teraz jednak jestem nami wszystkimi. Nie musi się pan nas obawiać. Chcemy z panem porozmawiać.

Bernard odzyskał panowanie nad sobą. Powoli usiadł na poboczu obok tych dwojga i powiedział z wymuszonym spokojem:

– Przypisywanie nam chęci zniszczenia was uważam za grubą przesadę. Oczywiście, jeśli nadal będziecie zachowywać się tak jak ostatnio, to znienawidzimy was i będziemy się mścić – czy może należałoby powiedzieć, że będziemy musieli się przed wami bronić. Jeśli jednak zmienicie swoje postępowanie, to cóż... zobaczymy. Czy naprawdę tak nas nienawidzicie? Bo jeśli nie, to z pewnością da się wypracować jakiś *modus vivendi*...?

Spojrzał na chłopca, wciąż mając słabą nadzieję, że powinien mówić do niego jak do dziecka. Chłopak jednak natychmiast rozwiał to złudzenie. Pokręcił głową i powiedział:

– Stawia pan tę sprawę na niewłaściwej płaszczyźnie. To nie

jest kwestia nienawiści czy sympatii. Takie rzeczy nie mają znaczenia. Nie jest to także sprawa, którą można załatwić w drodze negocjacji. To po prostu biologiczna konieczność. Nie możecie tolerować naszego istnienia, gdyż w przeciwnym razie wyginiecie… – Przerwał, żeby podkreślić wagę tych słów, po czym dodał: – Jest także aspekt polityczny, lepiej widoczny i bardziej zrozumiały. Zapewne niektórzy wasi politycy, którzy o nas wiedzą, już się zastanawiają, czy nie dałoby się tu użyć rosyjskiego rozwiązania.

– Och, a więc wiecie, co zrobili Rosjanie?

– Tak, oczywiście. Dopóki żyły Dzieci w Giżynsku, nie musieliśmy się niczego obawiać, lecz ich śmierć uświadomiła nam dwa fakty: po pierwsze, że została naruszona równowaga, a po drugie, że Rosjanie nie naruszyliby jej, gdyby nie byli pewni, że istnienie kolonii Dzieci jest bardziej groźne niż korzystne. Biologicznej konieczności nie można ignorować. Rosjanie wypełnili ją z politycznych pobudek, co i wy, niewątpliwie, spróbujecie zrobić. Eskimosi kierowali się prymitywnym instynktem. Jednak rezultat był taki sam. Dla was jednak będzie to trudniejsze. U Rosjan, którzy zrozumieli, że nie zdołają wykorzystać Dzieci z Giżynska, rozwiązanie problemu nie budziło niczyich wątpliwości. W Rosji jednostka żyje po to, żeby służyć państwu i stawianie się ponad państwem jest zdradą, a obowiązkiem społeczeństwa jest bronić się przed zdrajcami, czy są to jednostki, czy grupy. Tak więc w ich wypadku konieczność biologiczna zbiegła się z polityczną. I jeśli trzeba było przy tym zabić wiele postronnych osób, to cóż, trudno; miały obowiązek zginąć w obronie państwa. Dla was jednak ta kwestia nie jest taka prosta. Nie tylko ze względu na silniej zakorzenioną przez obyczajowość wolę przetrwania, ale z powodu niewygodnego przekonania, że państwo istnieje, by służyć jednostkom, z których się składa. Dlatego będzie niepokoiła was myśl o przysługujących nam „prawach". Pierwszy moment prawdziwego zagrożenia już minął. Byliśmy w niebezpieczeństwie, gdy usłyszeliście o rosyjskiej akcji przeciwko Dzieciom z Giżynska. Ktoś zdecydowany mógł zaaranżować podobny „wypadek" tutaj. Ponieważ ukrywanie naszej obecności odpowiadało i wam, i nam, bez problemu dałoby się zręcznie przeprowadzić podobną operację. Jednak już nie teraz. Ludzie przebywający w szpitalu w Trayne na pewno o nas opowiadali, a po zeszłej nocy plotki rozchodzą się po całym okręgu. Szansa zaaranżowania przekonującego „wypadku" przepadła. Co więc zamierzacie zrobić, żeby nas zlikwidować?

Bernard pokręcił głową.

– Posłuchaj – rzekł – może rozważymy tę sprawę w bardziej humanitarny sposób? W końcu jest to cywilizowany kraj, znany z umiejętności znajdowania kompromisów. Nie przekonuje mnie twoje nieuzasadnione przekonanie, że nie możemy się dogadać. Historia dowodzi, że jesteśmy bardziej tolerancyjni wobec mniejszości niż większość narodów.

Tym razem odpowiedziała mu dziewczynka.

– To nie jest kwestia cywilizacji – powiedziała – ale bardzo prosta sprawa. Jeśli będziemy istnieć, zdominujemy was – to oczywiste i nieuniknione. Czy bez oporu dacie się podporządkować i pójdziecie drogą prowadzącą do wyginięcia? Nie jesteście aż tak autodestrukcyjni. A zatem powstaje kwestia natury politycznej: czy jakiekolwiek państwo, choćby najbardziej tolerancyjne, może sobie pozwolić na udzielanie schronienia rosnącej w siłę mniejszości, której nie jest w stanie kontrolować? Na pewno nie. Cóż więc zrobicie? Prawdopodobnie jesteśmy bezpieczni, dopóki będziecie nad tym debatować. Najprymitywniejsi, czyli ludzkie masy, dadzą upust swoim instynktom – co widzieliśmy w tej wiosce zeszłej nocy – i zaczną na nas polować, chcąc nas pozabijać. Bardziej liberalni, odpowiedzialni i pobożni będą wielce zaniepokojeni naruszeniem etyki.

Wszelkim drastycznym działaniom przeciwstawią się wasi prawdziwi i udawani idealiści: dość liczna grupa ludzi, którzy uważają ideały za premię polisy ubezpieczeniowej na drugie życie i przyzwalają na zniewolenie i zubożenie swoich potomków, byle tylko przy bramie do nieba wylegitymować się postępowymi poglądami. Ponadto gdy wasz prawicowy rząd w końcu niechętnie zostanie zmuszony do podjęcia drastycznych działań przeciwko nam, wasi lewicowi politycy ujrzą w tym okazję zbicia kapitału politycznego, a być może obalenia rządu. Z tego powodu będą bronić naszych praw, jako uciskanej mniejszości albo jako dzieci. Ich przywódcy z zapałem staną po naszej stronie. Bez referendum będą twierdzili, że reprezentują sprawiedliwość, współczucie i dobroć narodu. Później niektórzy z nich uświadomią sobie, że to naprawdę poważny problem i gdyby musieli go przegłosować, prawdopodobnie doszłoby do wewnątrzpartyjnego rozłamu pomiędzy zwolennikami oficjalnej dobrodusznej polityki a szeregowymi członkami, których obawa przed nami skłania do zachowawczych poglądów; wtedy zapał głosicieli abstrakcyjnej praworządności i szczytnych ideałów osłabnie.

— Najwyraźniej masz nie najlepsze zdanie o naszych instytucjach — wtrącił Bernard.

Dziewczynka wzruszyła ramionami.

— Jako dominujący gatunek mogliście sobie pozwolić na utratę kontaktu z rzeczywistością i zabawianie się abstrakcjami — odparła. A potem podjęła: — Gdy ci ludzie będą się spierać, wielu z nich uświadomi sobie, że rozwiązanie problemu, jaki powstał w wyniku pojawienia się bardziej zaawansowanego gatunku nie będzie łatwe, a z czasem stanie się jeszcze trudniejsze. Być może zostaną podjęte próby zlikwidowania nas. Jednak tej nocy pokazaliśmy, co się stanie z żołnierzami, których by przeciwko nam wysłano. Jeśli wyślecie samoloty, rozbiją się. W takim razie zostanie wam użycie artylerii, tak jak to zrobili

Rosjanie, lub rakiet, których elektroniki nie możemy zakłócić. Jednak gdybyście ich użyli, zabilibyście nie tylko nas, ale także wszystkich mieszkańców wioski, więc nawet rozważenie takiej możliwości trwałoby bardzo długo, a gdyby rzeczywiście to zrobiono, to jaki rząd tego kraju przetrwałby taką masakrę niewinnych, uzasadniając ją koniecznością? Partia, która usankcjonowałaby takie działanie, nie tylko byłaby skończona na zawsze, ale jej przywódcy zostaliby zlinczowani w ramach pokuty i zadośćuczynienia.

Zamilkła i głos zabrał chłopiec:

– Szczegóły mogą być różne, ale tego rodzaju próby będą nieuniknione, gdy wzrośnie świadomość zagrożenia, jakim jest nasze istnienie. Być może dojdzie do takiej dziwnej sytuacji, że obie partie będą unikały objęcia władzy, żeby nie podejmować żadnych działań przeciwko nam. – Zamilkł, przez chwilę w zadumie patrzył w dal, a potem dodał: – No cóż, tak to wygląda. Ani wasze, ani nasze życzenia się tu nie liczą – czy może należałoby powiedzieć, że chcemy tego samego: przetrwać? Wszyscy jesteśmy igraszkami ewolucji. Dała wam przewagę liczebną, ale słabsze umysły, natomiast nas uczyniła lepiej rozwiniętymi umysłowo, ale słabszymi fizycznie, a teraz każe nam się zmierzyć, żeby zobaczyć, co się stanie. Co z naszego punktu widzenia może być okrutne, ale nie jest niczym nowym. Okrucieństwo jest stare jak samo życie. Trochę zostało złagodzone: humor i współczucie to najważniejsze ludzkie wynalazki, ale jeszcze nie całkiem ugruntowane, chociaż obiecujące. – Przerwał i uśmiechnął się. – To trochę w stylu Zellaby'ego, naszego pierwszego nauczyciela – zauważył, a potem podjął: – Jednak ewolucja jest o wiele silniejsza od nich i nie pozwoli się pozbawić okrutnej rozrywki. Pomimo to wydaje się nam możliwe, że to decydujące starcie można przynajmniej odwlec. I właśnie o tym chcemy z panem porozmawiać…

ROZDZIAŁ 20

Ultimatum

To – rzekł karcąco Zellaby do złocistookiej dziewczynki, która siedziała na gałęzi drzewa przy ścieżce – jest całkowicie zbyteczne ograniczenie mojej swobody poruszania się. Doskonale wiecie, że codziennie po południu idę na spacer i zawsze wracam na podwieczorek. Tyrania łatwo przeradza się w nałóg. Ponadto macie moją żonę jako zakładniczkę.

Dziewczynka zastanowiła się nad tym i w końcu przesunęła w buzi cukierek, tak że zdeformował jej policzek.

– Dobrze, panie Zellaby – powiedziała.

Zellaby zrobił krok naprzód. Tym razem nie napotkał niewidzialnej bariery, która zatrzymała go przedtem.

– Dziękuję, moja droga – powiedział z uprzejmym ukłonem. – Chodźmy, Gayford.

Weszliśmy w las, pozostawiając strażniczkę leniwie kołyszącą nogami nad ścieżką i chrupiącą cukierka.

– Bardzo interesującym aspektem tej sprawy jest rozgraniczenie pomiędzy jednostką a zbiorowością – zauważył Zellaby. –

Usiłowałem ustalić jego przebieg, ale poczyniłem niewielkie postępy. Zadowolenie Dziecka z cukierka jest niewątpliwie indywidualne, bo inaczej być nie może; ale decyzja o zatrzymaniu nas, a później przepuszczeniu została podjęta zbiorowo. A skoro Dzieci posiadają zbiorowy umysł, to jakie on odbiera bodźce? Czy pozostałe Dzieci na odległość też czują smak cukierka? Wydawałoby się to niemożliwe, a jednak muszą wiedzieć, że ona go ssie, a może nawet jak smakuje. Podobny problem powstaje, gdy pokazuję im jakiś film lub wygłaszam wykład. Teoretycznie, gdybym robił to tylko dla dwojga, wszyscy oni braliby w tym udział – bo jak już mówiłem, w taki sposób się uczą – lecz w praktyce w The Grange zawsze mam pełną salę. O ile dobrze to rozumiem, gdy pokazuję film przedstawicielom obu płci, mogą zobaczyć go wszyscy, ale wolą obejrzeć go osobiście, ponieważ telepatyczny przekaz obrazu jest niepełny. Trudno jest coś z nich o tym wyciągnąć, ale wydaje się, że indywidualnie oglądany obraz jest dla nich bardziej satysfakcjonujący, zapewne tak jak osobiście ssany cukierek. To spostrzeżenie rodzi bardzo wiele pytań.

– Mogę w to uwierzyć – przyznałem – ale to wyższa szkoła jazdy. Jeśli o mnie chodzi, to podstawowym problemem jest sama obecność Dzieci.

– Och – rzekł Zellaby – nie sądzę, żeby to była jakaś nowość. Takim samym problemem jest nasza obecność na Ziemi.

– Nie wydaje mi się. My powstaliśmy tu w drodze ewolucji. A skąd się wzięły Dzieci?

– Mój drogi, czy nie przyjmuje pan niepotwierdzonej teorii za fakt? Powszechnie uważa się, że powstaliśmy tu w wyniku ewolucji, i na poparcie tej teorii zakłada się, że istniało kiedyś stworzenie, które było przodkiem naszym i małp, nazywane przez naszych dziadków „brakującym ogniwem". Nigdy jednak nie znaleziono przekonującego dowodu, że takie stworzenie istniało. A „brakujące ogniwo", no cóż, niech mnie licho, cała ta teoria jest wybrakowana, więc to dobra metafora. Czy może pan sobie wyobrazić całą różnorodność ras wywodzących się od tego jednego przodka? Ja nie mogę, choćbym bardzo się starał. Tak jak nie widzę możliwości, by jakaś gromada nomadycznych stworzeń zdołała się odseparować od innych, wytwarzając zespół typowych cech charakteryzujących rasę. Jest to możliwe na wyspach, ale nie na wielkich kontynentach. Wydaje się, że w pewnym stopniu mógł na to wpłynąć klimat – jeśli nie brać pod uwagę mongolskich cech, występujących od równika po biegun północny. Pomyślmy również o niezliczonych typach pośrednich, które musiały przecież powstawać, oraz o nielicznych i marnych szczątkach tych praprzodków, które zdołaliśmy odnaleźć. Pomyślmy, o ile pokoleń musielibyśmy się cofnąć, podążając tropem czarnych, białych, czerwonych i żółtych do ich wspólnego przodka, i weźmy pod uwagę, że choć powinniśmy natrafić na niezliczone ślady tego rozwoju pozostawione przez miliony osobników, praktycznie nie mamy nic. Właściwie wiemy więcej o epoce gadów niż o okresie prawdopodobnej ewolucji człowieka. Od wielu lat znamy drzewo filogenetyczne konia. Gdybyśmy mogli odtworzyć takie dotyczące człowieka, już zostałoby to zrobione. A tymczasem co mamy? Zaledwie kilka znamiennie nielicznych, odizolowanych okazów. Nikt nie wie, gdzie i czy w ogóle zajmują miejsce w procesie naszej ewolucji, ponieważ go nie znamy – możemy jedynie domniemywać. Te okazy są nam równie obce jak my dla Dzieci…

Przez mniej więcej pół godziny słuchałem przemowy o niepopartej dowodami i niezadowalającej filogenezie rodzaju ludzkiego. Na zakończenie Zellaby przeprosił mnie za to, że nie wyczerpał tematu, którego nie dało się streścić w kilku zdaniach, co zamierzał uczynić.

— Pomimo to — dodał — wyjaśniłem panu, że w powszechnie przyjętej teorii jest więcej luk niż treści.

— Jeśli jednak ją odrzucimy, co nam zostaje? — zapytałem.

— Nie wiem — przyznał — ale nie zaakceptuję błędnej teorii tylko dlatego, że nie ma lepszej, i uważam to za uzasadnione wobec braku dowodów, których powinno być mnóstwo, gdyby była słuszna. W rezultacie uważam istnienie Dzieci za obiektywnie mniej zaskakujące niż nagłe pojawienie się wielu w pełni uformowanych ras ludzkich, których rodowodu nie potrafimy ustalić.

Takie ogólnikowe stwierdzenie było niepodobne do Zellaby'ego. Powiedziałem, że zapewne ma jakąś własną teorię.

— Nie — przyznał skromnie, a potem dodał: — Jedynie spekulacje. Obawiam się, że niezbyt satysfakcjonujące, a czasem niepokojące. Na przykład wtedy, gdy taki zdeklarowany racjonalista jak ja zaczyna się zastanawiać, czy wszystkim tutaj nie rządzi jakaś zewnętrzna siła. Gdy patrzę na ten świat, czasem wydaje mi się on dość chaotycznym poletkiem doświadczalnym. Z rodzaju tych, na których od czasu do czasu można zasiać nową odmianę i zobaczyć, jak sobie poradzi w tym zamęcie. Obserwowanie rozwoju swego dzieła musi być fascynujące dla Twórcy, nie sądzi pan? Odkrywanie, czy tym razem stworzył niszczyciela, czy coś, co zostanie zniszczone, obserwowanie postępów wcześniejszych odmian i sprawdzanie, które z nich potrafią naprawdę skutecznie uczynić życie innych piekłem... Pan tak nie uważa? No cóż, jak już mówiłem, te rozważania bywają niepokojące.

— Tak między nami, Zellaby, pan nie tylko dużo mówi, ale wygłasza mnóstwo nonsensownych stwierdzeń i sprawia, że niektóre brzmią sensownie. To zbija z tropu słuchacza.

Zellaby wyglądał na urażonego.

— Mój drogi panie, ja zawsze mówię serio. To moja największa wada. Należy odróżniać zawartość od opakowania. Wolałby pan, żebym wygłosił tę przemowę monotonnym, dogmatycznym tonem, co nasi prostoduszni bracia, niech ich Bóg ma w opiece, uważają za gwarancję szczerości? Nawet gdybym to zrobił, i tak musiałby pan ocenić jej zawartość.

– Chcę tylko wiedzieć – odrzekłem stanowczo – czy odrzuciwszy powszechnie przyjętą teorię ewolucji człowieka, może pan ją zastąpić jakąś poważną hipotezą?

– Nie podoba się panu moja wersja z Twórcą? Mnie też niespecjalnie. Ma jednak tę zaletę, że jest nie mniej prawdopodobna i o wiele bardziej zrozumiała od większości teorii religijnych. I oczywiście, mówiąc o Twórcy, niekoniecznie mam na myśli jednostkę. Raczej zespół. Wydaje mi się, że gdyby zespół naszych biologów i genetyków urządził sobie poletko doświadczalne na jakiejś odległej wyspie, to obserwowanie ekologicznego konfliktu wybranych okazów byłoby dla nich bardzo interesujące i pouczające. A ostatecznie czymże jest planeta jak nie wyspą w kosmosie? Jednak wszelkie spekulacje, jak już powiedziałem, są odległe od teorii.

Zataczając krąg, wróciliśmy do drogi łączącej Midwich z Oppley. Gdy pogrążeni w myślach zbliżaliśmy się do wioski, z Hickham Lane wyłonił się ktoś i zaczął iść w tym samym kierunku co my. Okrzyk Zellaby'ego wyrwał Bernarda z zadumy. Przystanął i zaczekał, aż go dogonimy.

– Jak sądzę po pańskiej minie – rzekł Zellaby – Torrance nie okazał się zbyt pomocny.

– Nawet nie zdołałem z nim porozmawiać – przyznał Bernard. – A teraz chyba nie ma już sensu go niepokoić. Rozmawiałem z dwojgiem pańskich Dzieci.

– Nie z dwojgiem – zaprotestował łagodnie Zellaby. – Rozmawia się ze zbiorowym chłopcem lub zbiorową dziewczynką, albo obiema zbiorowościami.

– W porządku. Akceptuję poprawkę. Zatem rozmawiałem

ze wszystkimi Dziećmi – a przynajmniej tak myślę, choć w sposobie prowadzenia rozmowy zarówno przez chłopca, jak dziewczynkę wyczułem silny wpływ Zellaby'ego.

Zellaby wyglądał na zadowolonego.

– Jeśli wziąć pod uwagę, że jesteśmy jak lew i jagnię, stosunki między nami zwykle były dobre. Miło mi słyszeć, że miałem na nie jakiś wychowawczy wpływ. I jak panu poszła rozmowa?

– Nie sądzę, by można to nazwać rozmową – powiedział Bernard. – Zostałem poinformowany, pouczony i poinstruowany. A na zakończenie kazano mi przekazać ultimatum.

– Naprawdę? Komu?

– Tego nie jestem pewny. Sądzę, że komuś, kto może zapewnić im transport powietrzny.

Zellaby uniósł brwi.

– Dokąd?

– Nie powiedziały. Wyobrażam sobie, że gdzieś, gdzie nikt nie będzie ich nękać.

Streścił nam argumenty podane przez Dzieci.

– Tak naprawdę wszystko sprowadza się do tego – podsumował – że według nich ich obecność tutaj jest dla władz wyzwaniem, którego na dłuższą metę nie da się unikać. Nie można ich zignorować, ale każdy rząd, który spróbuje się z nimi rozprawić, narazi się na ogromne kłopoty polityczne w razie porażki i niewiele mniejsze, jeśli mu się powiedzie. Same Dzieci nie chcą atakować ani być zmuszone do obrony...

– Naturalnie – wymamrotał Zellaby. – Obecnie chcą tylko przetrwać, aby ostatecznie nas zdominować.

– ...i dlatego w interesie obu stron leży dostarczenie im środka transportu umożliwiającego ewakuację.

– Co oznaczałoby gem dla Dzieci – skomentował Zellaby i się zamyślił.

— To trochę ryzykowne z ich punktu widzenia — zauważyłem. — Wszystkie w jednym samolocie.

— Och, możesz być pewny, że o tym pomyślały. Wzięły pod uwagę bardzo dużo szczegółów. Ma być kilka samolotów. Chcą mieć do dyspozycji ekipę, która sprawdzi, czy nie ma w nich bomb zegarowych i tym podobnych urządzeń. Mamy im dostarczyć spadochrony i sprawdzić kilka z nich, wyrywkowo wybranych przez Dzieci. Zgłosiły jeszcze wiele tego rodzaju żądań. Szybciej niż nasi ludzie pojęły implikacje tej historii w Giżynsku i nie pozostawiają nam zbyt szerokiego pola działania.

— Hmm — mruknąłem. — Nie powiem, żebym zazdrościł ci zadania, jakim będzie przepchnięcie tej propozycji przez wąskie gardło biurokracji. Jaka jest alternatywa?

Bernard pokręcił głową.

— Nie ma żadnej. Może ultimatum nie jest odpowiednim określeniem. Lepszym byłoby słowo żądanie. Powiedziałem Dzieciom, że mam niewielką nadzieję, by ktoś mnie wysłuchał i potraktował poważnie. Odparły, że najpierw wolą spróbować załatwić sprawę drogą pokojową, ponieważ uniknie się wielu kłopotów, jeśli przeprowadzi się to po cichu. Jeśli sobie z tym nie poradzę — co wydaje się pewne — to przy drugiej próbie będzie mi towarzyszyć dwoje z nich. Widziałem, do jakiego stanu ten ich „wewnętrzny przymus" doprowadził komendanta policji, więc nie jest to przyjemna perspektywa. Nie widzę powodu, czemu nie mieliby użyć tego sposobu na coraz wyższych szczeblach, w razie konieczności aż do samej góry. Bo co mogłoby ich powstrzymać?

— Już od jakiegoś czasu można było przewidzieć, że to nadchodzi, równie nieuchronnie jak zmiany pór roku — rzekł Zellaby, otrząsnąwszy się z zadumy. — Jednak nie spodziewałem się, że kryzys nadejdzie tak szybko, i sądzę, że nie doszłoby do tego jeszcze przez kilka lat, gdyby nie przyspieszyły go działania

Rosjan. Domyślam się, że dla Dzieci też stało się to za wcześnie. Wiedzą, że nie są gotowe stawić temu czoła. Dlatego chcą przenieść się gdzieś, gdzie spokojnie będą mogły osiągnąć wiek dojrzały. Mamy tu dość subtelny dylemat moralny. Z jednej strony obowiązek wobec naszej rasy i kultury nakazuje nam zlikwidować Dzieci, gdyż jest oczywiste, że w przeciwnym razie zostaniemy w najlepszym razie całkowicie przez nie zdominowani i ich kultura, jakakolwiek będzie, stłamsi naszą. Z drugiej strony to nasza kultura sprawia, że wzdragamy się przed bezlitosną likwidacją nieuzbrojonej mniejszości, niezależnie od praktycznych trudności takiego rozwiązania. Jest jeszcze – a niech mnie, jakie to skomplikowane – trzeci aspekt tej sytuacji. Jeśli pozwolimy Dzieciom przenieść stworzony przez nie problem na inny teren, którego mieszkańcy będą w jeszcze mniejszym stopniu zdolni się z nim uporać, postąpimy nieodpowiedzialnie i tchórzliwie. Można niemal zatęsknić za prostolinijnymi Marsjanami Wellsa. Wydaje się, że jest to jeden z tych niefortunnych przypadków, w których nie ma moralnie słusznego rozwiązania.

Bernard i ja słuchaliśmy go w milczeniu. W końcu poczułem się zobowiązany powiedzieć:

– To mi brzmi jak jedno z tych zręcznych podsumowań, z którymi filozofowie potem się mierzą przez wieki.

– Och, z pewnością nim nie jest – zaprotestował Zellaby. – Jeśli każde wyjście z sytuacji jest niemoralne, zawsze pozostaje nam możliwość kierowania się dobrem ogółu. Zatem Dzieci powinno się zlikwidować jak najmniejszym kosztem i jak najszybciej. Z przykrością dochodzę do tego wniosku. Przez dziewięć lat dosyć je polubiłem. I pomimo tego, co mówi moja żona, myślę, że zaprzyjaźniłem się z nimi w takim stopniu, w jakim jest to możliwe. – Znów zamilkł, tym razem na dłużej, i potrząsnął głową. – To słuszna decyzja – rzekł – ale, oczywiście nasi decydenci nie będą w stanie jej podjąć – za co osobiście jestem im wdzięczny, ponieważ nie widzę żadnej praktycznej możliwości przeprowadzenia takiej operacji bez jednoczesnego unicestwienia wszystkich mieszkańców naszej wioski. – Przerwał i popatrzył na Midwich spokojnie grzejące się w popołudniowym słońcu. – Jestem już stary, więc i tak długo nie pożyję, ale mam młodą żonę i małego synka; dlatego również chciałbym, żeby do tej konfrontacji doszło jak najpóźniej. Władze niewątpliwie będą się spierać, lecz jeśli Dzieci chcą wyjechać, zrobią to. Humanitaryzm zatriumfuje nad biologicznym obowiązkiem. Czy nazwać to prawością, czy dekadencją? Tak czy inaczej, nieszczęsny dzień zostanie odroczony... Zastanawiam się tylko na jak długo.

Gdy wróciliśmy do Kyle Manor, podwieczorek był gotowy, ale wypiwszy filiżankę herbaty, Bernard wstał i pożegnał się z gospodarzami.

– Jeśli zostanę dłużej, niczego więcej się nie dowiem – rzekł. – Im prędzej przedstawię żądania Dzieci moim zaskoczonym zwierzchnikom, tym prędzej podejmiemy jakieś działania. Nie wątpię, że pańskie argumenty są słuszne, panie Zellaby, ale osobiście postaram się, by Dzieci zostały wywiezione z naszego kraju – i to szybko. Widziałem w życiu wiele bardzo nieprzyjemnych scen, ale żadna nie była równie wyraźnym ostrzeżeniem jak poniżenie waszego komendanta policji. Oczywiście będę was informował o rozwoju sytuacji. – Spojrzał na mnie. – Jedziesz ze mną, Richardzie?

Zastanowiłem się nad tym. Janet nadal była w Szkocji i miała wrócić dopiero za parę dni. Żadne sprawy nie wymagały mojej obecności w Londynie, a problem Dzieci z Midwich był o wiele bardziej fascynujący niż cokolwiek, co mogło mnie tam czekać. Angela zauważyła, że się waham.

– Proszę zostać, jeśli pan chce – powiedziała. – Myślę, że oboje z mężem będziemy teraz radzi z towarzystwa.

Wyczułem, że powiedziała to szczerze, i przyjąłem zaproszenie.

– Poza tym – zwróciłem się do Bernarda – nawet nie wiemy, czy twój nowy status posłańca obejmuje osobę towarzyszącą. Gdybym spróbował pojechać z tobą, zapewne okazałoby się, że nadal mam zakaz.

– Och, tak, ta śmieszna blokada – rzekł Zellaby. – Muszę poważnie z nimi o tym porozmawiać. To absurdalny i zbyteczny środek ostrożności.

Odprowadziliśmy Bernarda do drzwi i obserwowaliśmy, jak odjeżdża, pomachawszy nam ręką.

– No tak. Gem dla Dzieci, jak sądzę – rzekł ponownie Zellaby, gdy samochód znikał za zakrętem. – A później... może i set?

Nieznacznie wzruszył ramionami i potrząsnął głową.

ROZDZIAŁ 21

Zellaby Macedończyk

Moja droga – rzekł Zellaby przy śniadaniu, patrząc na żonę – gdybyś przypadkiem wybierała się dziś rano do Trayne, kup mi duży słoik cukierków, dobrze?

Angela oderwała wzrok od tostera i spojrzała na męża.

– Kochanie – powiedziała niezbyt czule – po pierwsze, jeśli pamiętasz, co się stało wczoraj, to dobrze wiesz, że nie ma mowy o wyjeździe do Trayne. Po drugie, nie mam ochoty dostarczać Dzieciom słodyczy. A po trzecie, jeśli to oznacza, że zamierzasz dziś wieczór pójść do The Grange i wyświetlać im filmy, stanowczo protestuję.

– Blokada została zniesiona – rzekł Zellaby. – Wczoraj wieczorem przekonałem je, że to niemądry i nieprzemyślany pomysł. Przecież ich zakładnicy nie mogą dokonać zbiorowej ucieczki; Dzieci dowiedziałyby się o tym choćby od panny Lamb lub panny Ogle. Ten zakaz niepotrzebnie wszystkim utrudniał życie; połowa lub jedna czwarta mieszkańców wioski jest dla nich wystarczająco dobrą osłoną. Co więcej, zapowiedziałem, że odwołam mój zapowiedziany na dzisiejszy wieczór odczyt o wyspach na Morzu Egejskim, jeśli połowa Dzieci będzie naprzykrzać się ludziom na drogach i ścieżkach.

– I tak po prostu zgodziły się znieść blokadę? – spytała Angela.

– Oczywiście. Nie są głupie, jak wiesz. Można je przekonać rozsądnym argumentem.

– Co ty powiesz! Po tym wszystkim, przez co przeszliśmy...

– Naprawdę są rozsądne – upierał się Zellaby. – Kiedy są przestraszone lub zaskoczone, popełniają głupstwa, tak jak my wszyscy. A z powodu młodego wieku czasem przeholują, lecz czyż to nie typowe dla młodych? Ponadto są zaniepokojone i zdenerwowane, ale czy my nie bylibyśmy nerwowi, gdyby wisiała nad nami groźba powtórki Giżynska?

– Gordonie – powiedziała jego żona – nie rozumiem cię. Te Dzieci mają na sumieniu śmierć sześciorga ludzi. Zabiły sześć osób, które dobrze znaliśmy, i poturbowały wiele innych, niektóre ciężko. I w każdej chwili to samo może przydarzyć się każdemu z nas. Bronisz takiego postępowania?

– Oczywiście, że nie, moja droga. Ja po prostu wyjaśniam, że przestraszone Dzieci mogą popełniać błędy, tak samo jak my. Pewnego dnia będą musiały walczyć z nami, żeby przeżyć; wiedzą o tym i ze strachu popełniły błąd, bo myślały, że ten dzień już nadszedł.

– Zatem teraz wszyscy powinniśmy powiedzieć: „Przykro nam, że przez pomyłkę zabiłyście sześć osób. Zapomnijmy o tym".

– A co proponujesz? Wolałabyś je zantagonizować?

– Oczywiście, że nie, lecz jeśli prawo nie może ich ukarać, jak twierdzisz – choć nie rozumiem, po co nam prawo, jeśli nie potrafi orzec tego, co wszyscy wiedzą – nawet jeśli nie może, to nie oznacza, że mamy tego nie zauważać i udawać, że nic się nie stało. Są także sankcje społeczne, nie tylko prawne.

– Uważałbym z tym, moja droga. Właśnie nam dowiedziono, że siła bywa od nich ważniejsza – oznajmił poważnie Zellaby.

Angela spojrzała na niego ze zdziwieniem.

– Gordonie, nie rozumiem cię – powtórzyła. – Myślimy podobnie o wielu sprawach. Mamy takie same zasady, ale teraz odnoszę wrażenie, że cię straciłam. Po prostu nie możemy ignorować tego, co się stało: byłoby to równie złe, jak przyzwolenie.

– Moja droga, oboje stosujemy różne kryteria. Ty osądzasz w kategoriach społecznych i widzisz zbrodnię. Ja uważam to za proces zgodny z prawami ewolucji i nie widzę tu zbrodni – tylko ponure, pierwotne zagrożenie.

Te ostatnie słowa powiedział tonem tak odmiennym od jego zwykłych wypowiedzi, że oboje spojrzeliśmy na niego ze zdziwieniem. Po raz pierwszy ujrzałem innego Zellaby'ego – człowieka, którego sugerowane istnienie nadawało większe znaczenie pisanym przez niego dziełom – jakby młodszego od dobrze nam znanego gryzipiórka. Zaraz jednak powrócił do swego typowego sposobu bycia.

– Mądre jagnię nie drażni lwa – powiedział. – Obłaskawia go, zyskuje czas i ma nadzieję. Dzieci lubią cukierki i będą się spodziewały, że je przyniosę.

Przez chwilę spoglądali sobie z Angelą w oczy. Zobaczyłem, jak zdziwienie i uraza znikają z jej oczu, zastąpione przez tak głęboką ufność, że poczułem zażenowanie.

Zellaby obrócił się do mnie.

– Obawiam się, że dziś rano muszę załatwić pewną pilną sprawę, mój drogi. Czy nie zechciałby pan z okazji zniesienia blokady towarzyszyć Angeli do Trayne?

* * *

Kiedy wczesnym popołudniem wróciliśmy do Kyle Manor, zastałem Zellaby'ego siedzącego na składanym fotelu, ustawionym na wybrukowanym cegłami placyku przed werandą. Nie od razu mnie usłyszał i gdy go zobaczyłem, uderzyła mnie zmiana w jego wyglądzie. Przy śniadaniu sprawiał wrażenie młodszego i silniejszego; teraz wyglądał jak zmęczony człowiek, starszy, niż kiedykolwiek mi się wydawał, i jakby starczo nieobecny duchem. Łagodny wietrzyk rozwiewał mu jedwabiste siwe włosy, gdy tak siedział, wpatrując się w dal niewidzącym wzrokiem.

Potem usłyszał moje kroki na bruku i natychmiast oprzytomniał. Z jego oczu znikły znużenie i pustka, a twarz, którą ku mnie zwrócił, znów była znanym mi od dziesięciu lat obliczem Zellaby'ego.

Usiadłem na fotelu stojącym obok i postawiłem na bruku duży słoik z cukierkami. Spoglądał nań przez chwilę.

– Dobrze – powiedział. – One bardzo je lubią. W końcu wciąż jeszcze są dziećmi – przez małe „d".

– Proszę posłuchać – rzekłem. – Nie chcę być namolny, ale... no cóż, czy uważa pan za rozsądne iść tam dziś wieczór? Przecież nie można cofnąć tego, co się stało. Sytuacja się zmieniła. Między nimi a mieszkańcami wioski, jeśli nie między nimi a wszystkimi ludźmi, panuje teraz jawna wrogość. Z pewnością podejrzewają, że zostaną podjęte przeciwko nim jakieś działania. To ultimatum, które przekazali Bernardowi, nie zostanie zaakceptowane od razu, jeśli w ogóle. Mówił pan, że były podenerwowane... No cóż, z pewnością nadal są zdenerwowane, a więc niebezpieczne.

Zellaby pokręcił głową.

– Nie dla mnie, mój drogi. Zacząłem je uczyć, zanim zajęły się tym władze, i robię to do tej pory. Nie powiem, że rozumiem Dzieci, ale uważam, że znam je lepiej niż ktokolwiek. A najważniejsze jest to, że one mają do mnie zaufanie...

Zamilkł, wygodnie wyciągnięty na fotelu, obserwując kołyszące się na wietrze topole.

– Zaufanie... – zaczął, ale pojawiła się Angela z karafką sherry i kieliszkami. Urwał i spytał ją, co mówią w Trayne o Midwich.

Podczas lunchu mówił mniej niż zwykle, a potem znikł w swoim gabinecie. Trochę później zobaczyłem jak idzie podjazdem na swój codzienny spacer, lecz ponieważ nie prosił, żebym mu towarzyszył, wygodnie usadowiłem się na leżaku w ogrodzie. Wrócił na podwieczorek, przy którym ostrzegł mnie, żebym dobrze się najadł, ponieważ gdy wieczorem wykładał w The Grange, kolację podawano późno.

Angela ponownie próbowała go powstrzymać, choć bez przekonania:

– Kochanie, czy nie sądzisz, że... Chcę powiedzieć, że one widziały już wszystkie twoje filmy. Wiem, że ten o Morzu Egejskim pokazałeś im już co najmniej dwukrotnie. Czy nie mógłbyś przełożyć tego wykładu i może wypożyczyć jakiś nowy film?

– To dobry film, moja droga; można go oglądać nawet częściej – wyjaśnił lekko urażony Zellaby. – Ponadto nie mówię za każdym razem tego samego; o wyspach greckich zawsze mam do powiedzenia coś nowego.

O wpół do siódmej zaczęliśmy ładować jego sprzęt do samochodu. Liczne skrzynie zawierające projektor, okablowanie, wzmacniacz, głośniki, zestaw filmów i magnetofon do nagrywania jego wykładu – wszystkie bardzo ciężkie. Kiedy upchnęliśmy to wszystko i na dachu umieściliśmy stojący mikrofon, zaczęło to wyglądać na przygotowania do safari, a nie do wieczornej prelekcji.

Zellaby przez cały czas kręcił się w pobliżu, sprawdzając, czy ładujemy wszystko, włącznie ze słoikiem cukierków. W końcu uznał, że może jechać. Zwrócił się do Angeli.

– Poprosiłem pana Gayforda, żeby mnie tam zawiózł i pomógł wyładować sprzęt – powiedział. – Nie martw się.

Przytulił ją i ucałował.

– Gordonie – zaczęła. – Gordonie...

Wciąż ją obejmując i patrząc w oczy, prawą ręką pogładził jej policzek. Karcąco pokręcił głową.

– Ach, Gordonie, teraz boję się Dzieci... A jeśli one...?

– Nie martw się, kochanie. Wiem, co robię – zapewnił ją.

Potem odwrócił się, wsiadł do samochodu i pojechaliśmy podjazdem, a Angela została na schodach, z nieszczęśliwą miną odprowadzając nas wzrokiem.

Z lekką obawą podjechałem przed frontowe drzwi The Grange. Jednak na pierwszy rzut oka nic nie usprawiedliwiało mojego niepokoju. Ośrodek mieścił się w dużym, raczej brzydkim domu w wiktoriańskim stylu, z dwoma szpetnymi i wyglądającymi jak hale fabryczne skrzydłami, które dobudowano za czasów pana Crimma, aby umieścić w nich laboratoria. Wygląd trawnika przed budynkiem nie zdradzał bitwy stoczonej tu parę dni temu i choć wiele krzewów wokół niego ucierpiało, trudno było uwierzyć, że coś takiego się tu zdarzyło.

Nasze przybycie nie pozostało niezauważone. Zanim zdążyłem otworzyć drzwiczki, by wysiąść, frontowe drzwi budynku gwałtownie się otwarły i gromada podekscytowanych Dzieci zbiegła po schodach, nieskładnym chórem wołając: „Czołem, panie Zellaby!". W mgnieniu oka otworzyły tylne drzwiczki samochodu, po czym dwaj chłopcy zaczęli wyjmować pudła i podawać je innym. Dwie dziewczynki pędem wniosły do budynku statyw z mikrofonem i rozwijany ekran, a inna z triumfalnym okrzykiem złapała słoik z cukierkami i pospieszyła za koleżankami.

– Hej, uważajcie – powiedział niespokojnie Zellaby, gdy Dzieci zaczęły wyładowywać cięższe skrzynki. – To delikatny sprzęt. Przenoście go ostrożnie.

Jeden z chłopców uśmiechnął się do niego i z przesadną ostrożnością podniósł jedną z czarnych skrzynek, żeby podać ją drugiemu. W tym momencie w tych Dzieciach nie było niczego niezwykłego ani tajemniczego poza ich identycznym wyglądem upodabniającym je do chóru z musicalu. Po raz pierwszy od mojego powrotu do Midwich byłem w stanie dostrzec w nich zwyczajne dzieciaki. I niewątpliwie ucieszyły się z wizyty Zellaby'ego. Obserwowałem go, gdy stał, patrząc na nie z łagodnym, trochę smutnym uśmiechem. Tych Dzieci, które widziałem teraz, nie dało się uważać za zagrożenie. Miałem nieodparte wrażenie, że wcale nim nie są; że wszelkie teorie, obawy i zagrożenie, o których rozmawialiśmy, dotyczyły jakiejś innej grupy Dzieci. Naprawdę trudno było je łączyć z delirium energicznego komendanta policji, które tak wstrząsnęło Bernardem. Wydawało się niemal niewiarygodne, że mogły postawić ultimatum, które potraktowano dostatecznie poważnie, by dotarło do najwyższych kręgów władz.

– Mam nadzieję, że będzie dziś dobra frekwencja – na wpół pytająco powiedział Zellaby.

– Och, tak, panie Zellaby – zapewnił go jeden z chłopców. – Będą wszyscy; oczywiście poza Wilfredem. Leży w izbie chorych.

– Ach, tak. Jak się ma? – spytał Zellaby.

– Plecy wciąż go bolą, ale wyjęto mu wszystkie śruciny i lekarz mówi, że wszystko będzie dobrze – odparł chłopiec.

Miałem coraz bardziej mieszane uczucia. Z każdą chwilą trudniej było mi nie wierzyć, że padliśmy ofiarą jakiegoś strasznego nieporozumienia co do Dzieci, i wydawało mi się niewiarygodne, że stojący obok mnie Zellaby jest tym samym człowiekiem, który rano mówił o „ponurym, pierwotnym zagrożeniu".

Ostatnią skrzynkę wyjęto z samochodu. Przypomniałem sobie, że już w nim była, kiedy ładowaliśmy pozostałe. Najwyraźniej była ciężka, ponieważ musieli ją nieść dwaj chłopcy. Zellaby z lekkim niepokojem patrzył, jak wnoszą ją po schodach, a potem zwrócił się do mnie.

– Bardzo panu dziękuję za pomoc – powiedział, jakby mnie odprawiał.

Byłem rozczarowany. Ten nowy aspekt Dzieci zafascynował mnie; chciałem obserwować je podczas prelekcji, przyjrzeć im się, kiedy będą odprężone, w całej grupie, jako zwyczajne dzieciaki. Zellaby zauważył moją minę.

– Poprosiłbym, żeby pan został – wyjaśnił – ale muszę wyznać, że dziś wieczór nie mogę przestać myśleć o Angeli. Ona się boi, wie pan. Zawsze obawiała się Dzieci, a te ostatnie dni poruszyły ją bardziej, niż to okazuje. Sądzę, że dziś wieczorem ktoś powinien jej towarzyszyć. Miałem nadzieję, że pan, mój drogi... Wyświadczyłby mi pan ogromną przysługę...

– Ależ oczywiście – zapewniłem. – Sam powinienem o tym pomyśleć. Oczywiście.

Bo co innego mogłem powiedzieć?

Uśmiechnął się i wyciągnął do mnie rękę.

– Doskonale. Jestem panu bardzo wdzięczny, mój drogi. Wiem, że mogę na panu polegać.

Potem odwrócił się do kilkorga Dzieci, które wciąż stały w pobliżu, i posłał im promienny uśmiech.

– Zaraz zaczną się niecierpliwić – zauważył. – Prowadź, Priscillo.

– Jestem Helen, panie Zellaby – wyjaśniła.

– Ach, dobrze. Nieważne. Chodź, moja droga – rzekł Zellaby i razem zaczęli wchodzić po schodach.

* * *

Niespiesznie wróciłem do samochodu i odjechałem. W drodze przez wieś zauważyłem, że w The Scythe and Stone jest spory ruch i miałem ochotę zatrzymać się, by sprawdzić, jakie nastroje panują teraz wśród miejscowych, ale pamiętając o prośbie Zellaby'ego, oparłem się pokusie i pojechałem dalej. Na podjeździe Kyle Manor zaparkowałem samochód przodem do bramy, przygotowany, by później wyjechać po gospodarza, po czym wszedłem do domu.

Angela siedziała w salonie przed jednym z otwartych okien, a z radia płynęły dźwięki kwartetu Haydna. Kiedy wszedłem, odwróciła do mnie głowę i na widok jej twarzy byłem rad, że Zellaby poprosił mnie, żebym jej towarzyszył.

– Powitanie było entuzjastyczne – powiedziałem w odpowiedzi na jej pytające spojrzenie. – Gdyby nie to ich zdumiewające podobieństwo, wyglądałyby jak gromadka zupełnie zwyczajnych uczniaków. I nie wątpię, że miał rację, mówiąc, że mu ufają.

– Być może – przyznała – ale ja nie ufam im. Chyba od samego początku, od kiedy zmusiły swoje matki do powrotu tutaj. Zdołałam pogodzić się z tym, że zabiły Jima Pawle'a, ale od tamtej pory się ich boję. Bogu dzięki, że wysłaliśmy Michaela daleko stąd... Nie wiadomo, co i kiedy mogą zrobić. Nawet Gordon przyznaje, że są zdenerwowane i panikują. To nonsens, że pozostajemy tutaj, zdani na łaskę ich dziecinnych obaw i humorów... Czy wyobraża pan sobie, że ktoś potraktuje poważnie to „ultimatum", które przekaże pułkownik Westcott? Ja nie sądzę. To oznacza, że Dzieci będą musiały zrobić coś, co dowiedzie, że trzeba je spełnić; muszą przekonać twardogłowych i upartych ludzi, i nie wiadomo, co postanowią uczynić w tym celu. Po tym, co już się zdarzyło, naprawdę się boję... Tych Dzieci po prostu nie obchodzi, co się z nami stanie...

– Demonstrowanie swoich możliwości w Midwich niewiele by im dało – próbowałem ją uspokoić. – Zrobią to w jakimś dużym mieście. Pojadą z Bernardem do Londynu, tak jak groziły. Jeśli potraktują kilka ważnych figur tak, jak potraktowały komendanta policji...

Przerwał mi oślepiający błysk i gwałtowny wstrząs, od którego zadrżał dom.

– Co...? – zacząłem i nie dokończyłem.

Silny podmuch, który wpadł przez otwarte okno, niemal zwalił mnie z nóg. W ślad za nim runęła na nas fala potwornego huku, która zakołysała domem.

Towarzyszył temu trzask i brzęk spadających przedmiotów, a potem zapadła głucha cisza.

Bez żadnego konkretnego planu rzuciłem się do otwartych drzwi na taras, mijając skuloną na fotelu Angelę, i wybiegłem na trawnik. Niebo było pełne zerwanych z drzew liści, wciąż opadających na ziemię. Odwróciłem się i spojrzałem na dom. Podmuch zerwał ze ściany dwa wielkie kłęby pnączy, które zwisały w nieładzie. Wszystkie okna w zachodniej ścianie domu ziały pustką – nie została w nich ani jedna szyba. Znów spojrzałem w przeciwną stronę, na czerwono-białą łunę widoczną pomiędzy drzewami nad nimi. Natychmiast zrozumiałem, co oznaczała...

Pobiegłem z powrotem do salonu, ale Angeli już tam nie było – jej fotel był pusty... Zawołałem ją, ale nie odpowiedziała...

W końcu znalazłem ją w gabinecie Zellaby'ego. Całe pomieszczenie było zasłane potłuczonym szkłem. Podmuch zerwał jedną zasłonę, która teraz zakrywała pół kanapy. Część rodzinnych fotografii spadła z gzymsu nad kominkiem i leżała w kawałkach na palenisku. Angela siedziała za biurkiem Zellaby'ego, z głową opartą na spoczywających na blacie rękach. Nie poruszyła się i nie odezwała, gdy wszedłem.

Otwarcie drzwi wywołało przeciąg w pomieszczeniu z powybijanymi oknami. Porwał leżącą na biurku obok niej kartkę papieru, która z trzepotem spadła na podłogę.

Podniosłem ją. List był napisany kanciastym charakterem pisma Zellaby'ego. Nie musiałem go czytać. Wszystko stało się jasne, od kiedy ujrzałem czerwono-białą łunę w miejscu, gdzie znajdował się ośrodek The Grange, i natychmiast przypomniałem sobie te ciężkie skrzynie, w których, jak sądziłem, znajdowały się jego magnetofon i inny sprzęt. Ponadto ten list nie był do mnie; kiedy jednak kładłem go na biurku obok nieruchomej Angeli, mimo woli odczytałem kilka środkowych linijek:

„...lekarz ci potwierdzi, że to kwestia kilku tygodni, a w najlepszym razie miesięcy. Zatem nie miej żalu, ukochana moja.

A co do tego... no cóż, tak długo żyjemy w sielankowych warunkach, że niemal zapomnieliśmy o regułach przetrwania. Powiedziano: *Si fueris Romae, Romani vivito more*, co jest całkiem rozsądne. To samo można jednak sformułować dobitniej: jeśli chcesz przetrwać w dżungli, musisz stosować jej prawa..."

Spis treści

2021

Nevil Shute OSTATNI BRZEG

James Blish KWESTIA SUMIENIA

Frank Herbert RÓJ HELLSTROMA

Joe Haldeman WIECZNA WOLNOŚĆ

Theodore Sturgeon WIĘCEJ NIŻ CZŁOWIEK

Eric Frank Russell OSA

George R. Stewart ZIEMIA TRWA

Philip K. Dick OPOWIADANIA NAJLEPSZE

2022

Robert Silverberg UMIERAJĄC, ŻYJEMY

George Orwell ROK 1984

Clifford D. Simak CZAS JEST NAJPROSTSZĄ RZECZĄ

Arthur C. Clarke ODYSEJA KOSMICZNA 2001

George Orwell FOLWARK ZWIERZĘCY

Isaac Asimov KONIEC WIECZNOŚCI

2023

Arthur C. Clarke ODYSEJA KOSMICZNA 2010

Isaac Asimov RÓWNI BOGOM

Arthur C. Clarke SPOTKANIE Z RAMĄ

Poul Anderson OLŚNIENIE

Arthur C. Clarke ODYSEJA KOSMICZNA 2061

Harry Harrison BILL, BOHATER GALAKTYKI

Pat Frank BIADA BABILONOWI

Arthur C. Clarke ODYSEJA KOSMICZNA 3001. FINAŁ

Arthur C. Clarke, Gentry Lee RAMA II